KB171938

백합은 눈보라 속에

- 꿈과 사색들 -

백합은 눈보라 속에 - 꿈과 사색들 -

발　행 | 2024년 04월 23일
저　자 | 한충한
펴낸이 | 한건희
펴낸곳 | 주식회사 부크크
출판사등록 | 2014.07.15.(제2014-16호)
주　소 | 서울특별시 금천구 가산디지털1로 119 SK트윈타워 A동 305호
전　화 | 1670-8316
이메일 | info@bookk.co.kr

ISBN | 979-11-410-8215-4

www.bookk.co.kr

백합은 눈보라 속에

- 꿈과 사색들 -

한충한 지음

차례

시작 글

삶이 글이 되고 책이 되다

아스라이 보이는
희망이란 무지개

십대
한 날 한 날
아픔을 토해낸 글들

반백 년 동안 봉인된
비밀의 문을 열어

스치듯 지나온 젊은 날
걸음걸음 인도하신
하나님의 섭리를 새겨본다

내일을 위해
아름다운 꿈을 간직하고
살아야 한다.

처지가 다르다 하여
스스로 시들 필요는 없다

눈보라 속에
나대로 아름답고
고귀한 꽃을 피우리라

희미한 기억의 편린들

젖빛 유리 너머
희미한 기억의 그림자

마지막 남은 기억 몇 조각
남겨진 아버지 책 한 권

다섯 해
누이 손잡고 기다리던
흙먼지 날리는 시골 버스 정류장
장수 큰집에서 광주 큰집으로

다섯 해 광주

대성 고무신 공장
큰아버지 일터

우리 남매 더해
여섯 식구
작은 단칸방

배급 식량
밀가루
강냉이 가루

신문 배달

새벽 5시
쥐 소리 하나 없이 조용한
어둠 깔린 새벽 거리

광주역 신문보급소
'매일경제신문' 신문 85부
신문이 너무 많다
무거워 언제 다 넣을까?
도청, 전매서 같은 곳에 신문을 넣는다
춥기도 하고 무거워 그만두고 싶다

그래도
나중에 큰 사람 되려면
고생을 이겨내야 한다

1968년 10월 30일 수요일

전당포

돈이 가뭄 들어
형님 시계와
조카 반지 2개가
전당포로 갔다

친구 재평이에게 빌린 돈
20원을 갚아야 하는데

1969년 3월 26일 수요일

주산 공부

갈 수 없는 고등학교
주산공부도 그만 두어야겠다

수업 끝나니
밤 10시

어두운 밤길을 걸어
집에 오니
밤 11시

1969년 11월 6일 목요일

납부금

내일은 졸업시험
납부금 걱정
무겁게 걸어간 학교

수학시험 시간에
집으로 돌려 보낸다
이제 몇 명 안 남았다

늦은 밤
수업 끝날 즈음
가방 가지러갔다

1970년 12월 10일 목요일

가을

여름의 아쉬움

한 계절의 허물을 벗은 듯

내 볼을 스치는

서늘한 바람

춤을 추며

눈앞을 스치는 낙엽

1970년 10월 6일 월요일

비

즐거우나 서러우나
눈물로 세월 보내며

슬프게 찾아와
슬프게 가버리는
슬픈 인간들

넌 무엇이 서러워
남의 집 지붕을 두드리며
통곡하는가?

하늘에서 죄를 지어
죄 많은 인간 세상에
떨어지는 게
그리도 서러운가?

1970년 10월 12일 월요일

추운 교실

어둠이 짙어오면
추위가 살그머니
내려와 앉는다

십이월 밤 교실
너무 춥다

교복 맨 위 단추를 열어
고개를 숙여
얼굴을 집어넣어 본다
그래도 춥다.

발도 시려온다
늦은 밤길
걸어서 집으로

1970년 12월 8일 화요일

크리스마스

얼굴을 때리는 차가운 바람
볼이 따갑다

크리스마스에는
산타클로스 할아버지가
눈 타고 내려와
착한 어린이에게
선물 준다고 했는데

눈이 안 오는 걸 보니
착한 어린이가
선물을 받지 못할 것 같다

1970년 12월 25일 금요일

고난이 온다면

어른들의 세계는
어떤 것일까?

복잡하게 얽히고설킨
실오라기처럼 보인다

고난이 온다면
하나님이 우리 인내를
지켜보시려고 내리신 것이니
고난을 이겨내고
앞으로 나아가자

1970년 12월 30일 수요일

인내와 투지(鬪志)

시작과 끝
한 번은 맞이해야 할 종말
누구도 피할 수 없는 종말

세상을 쥐고 흔들었던
욕망의 광채
그 빛도 이제 다 꺼져간다

밝아오는 태양
새 마음 새 뜻으로 나아가자

인내와 투지(鬪志)로 살아가리라
인내로 노력하고
투지로 경쟁하리라

1970년 12월 31일 목요일

눈(雪)

온 세상을 덮은 흰 눈

짓눌린 고통으로

괴로워하는 만상(萬象)들

전깃줄과

나뭇가지마저

고통을 헤어나려

안간힘을 쓰고 있는

덮이지 않고 드러난 곳

1971년 1월 22일 금요일

희망

몸과 마음을 다 바친 후
거절당했을 때 괴로움

마비된 죄책감
가볍게 생명을 버린다

죽음만이 위로해 줄
유일한 희망

1971년 1월 22일 금요일

중학교 졸업식

이제 헤어지면
언제 만날 수 있을지
함께한 야간생활 3년
정다운 친구들
추억들

어여쁜 꽃바구니에
고이 간직하여
그리울 때
사알 짝 꺼내어 볼 뿐

졸업식 마치고 홀로 가는
어색하고 초라한 모습

졸업을 축하해 주려는 듯
어둡던 날씨가 맑아져
푸른 하늘이 보인다

1971년 1월 23일 토요일

인생은 연극

지금까지 걸어온
모순투성이 삶

기쁘고, 슬프고,
즐겁고, 괴롭던 일들

지금까지 걸어온 길
마치 연극 같다

1971년 1월 26일 월요일

고교 입학금

종일 입학금 걱정
납부금 10,550원
교과서 대금 6,250원
이것만 해도 16,800원

어떻게 마련할 수 있을지
지금 힘으로는 가망이 없다

절망의 나락
사람이 역경에 처하면
존재가치를 의식하지 못하는가?

1971년 2월 19일 금요일

입학금 마감 날

공중전화로
담임 선생님께
고등학교 못 가게 되었다고 하니
형님을 바꿔 달라신다

시내에 나와 전화하고 있다 하니
“그러면 네가 입학금을 마련하려 했느냐?
얼마가 부족 하느냐?”하시는데
그냥 하나도 없다고 했더니
오늘 밤에라도 입학금이 마련되면
교장 선생님 댁으로 전화하라 하신다

이제 다시 새 출발하자
꼭 성공 하리라

1971년 2월 25일 목요일

별이 빛나는 밤

고독에 흠뻑 젖어
묻혀 버린 밤

은빛 날개 펴며
손짓하는 밤

아름다운 별빛
조용히 미소 머금은 입술로
매혹시킨다

뽀오얀 별빛이
외로운 맘속에
조용히 내려앉아
속삭인다

1971년 3월 8일 월요일

하늘과 속세

구름 한 점 없는
맑은 날씨

저토록 깨끗한 하늘과
땅 위의 추함, 악함, 번뇌
복잡한 속세로 돌아오면
거기에 휩쓸려
또 죄를 짓고 산다

저 하늘처럼
깨끗해지고 싶다

1971년 4월 6일 화요일

밤 별

밤이 좋다.
괜스레 밤을 즐긴다
3년간 밤에 공부해서일까?

고요함과 적막함
아름다운 공상
아름다운 꿈들

저 별빛에 실어
수놓아 보리라

은은한 달빛 속
천사들이 부른다.
별들의 자장가로

1971년 4월 7일 수요일

진정한 위인

책 구경이나 해볼 셈으로
헌책방으로 발길을 옮겼다
새 책은 비싸서 못 사니

무슨 책이라도 한 권 샀더라면
이렇게 초라하지 않을 텐데
길가 진열장 유리에 비친 초라한 모습

그러나
위인이 도달한 고봉은
일약 지상에서 뛰어 올라간 것이 아니다
남이 잠자는 사이에도 한 걸음 한 걸음
애써 기어 올라간 것이다

진정한 위인은
모두 피눈물 겨운 과거가 있었다

1971년 4월 11일 일요일

이광수 '무정'

이광수 '무정'을 읽으며
자신을 돌아본다

마음이 나약하고
용기가 없어
무슨 일을
성취하지 못한다

무슨 일을
결정 못하고
망설이고 있다

1971년 4월 24일 토요일

의지(意志)

의지가 박약한 사람은
자기의 초지(初志)를 잊어버리고
태연히 모순된 행동을 한다

남의 칭찬이나 눈앞의 이익에만
눈이 팔려있다

칭찬 들으면 교만하고
비난을 들으면
졸렬한 사람으로 생각한다

뚜렷한 목표가 있어
이를 관철하기 위해
행동하는 것이 아니라
눈앞의 이익만 보고 행동하기에
하는 일에 일관성이 없고
행위가 서로 모순되기도 한다

의지가 박약하여
지조(志操)가 없는 사람에게는
태산이 무너져도 동요하지 않고
일월(日月)이 떨어져도
변치 않는 기개를 볼 수 없다

인물의 범(凡), 비범(非凡)은
의지(意志)의 여하에 달려 있다

의지(意志)가 굳은 사람은
한번 마음먹은 일을
꾸준히 해 나감으로 대성(大成)하여
비범한 인물로 인정받을 수 있게 된다

1971년 4월 25일 일요일

의지(意志)의 단련

의지(意志)가 박약하다는 것은
뜻을 스스로 결정하지 못하고
자기 뜻 외의 다른 지배를 받고 있다는 것을 의미한다
다른 지배란 자기 밖에서 오는 유혹, 폭력, 협박뿐만 아니라
자기 안에 있는 기분, 감정, 본능까지 포함한다

자기의 뜻을 스스로 결정하는 청년이 되려면
이런 모든 외부의 힘에 대항해서 이겨내야 한다

의지를 굳세게 단련하려 하는 청년은
외부의 적과 내부의 적이라는
두 가지 적에 대항하고
이것을 극복하려는 청년이다

학문에 정진하려는 학생이라면
외부의 적보다도 내부의 적을
지배하는 힘을 길러야 한다

1971년 4월 25일 일요일

인생

태어나 죽기 전까지를
'일생' 또는 '인생'이라고 한다

삶의 맨 마지막에 오는 것은 죽음
육체 외에 다른 것도 죽는 걸까?

왜 우린 죽어야만 하는가?
이 세상에 오기 전
어디에 있었으며
죽으면
어디서 살아야 하는가?

죽음을 향하여
한 걸음 한 걸음
걸어가고 있다

1971년 4월 30일 금요일

인생은 충분히 길다

로마의 철학자이며 시인 세네카(Seneca)의 말이다.

“만일 당신이 주의한다면, 인생의 최대 부분은
자기가 생각하고 있는 것을 하고 있는 동안에 지나가고,
많은 부분은 아무것도 하지 않는 동안에 지나가고,
전 생애는 다른 일을 하는 동안에
지나가 버린다는 것을 깨달을 것이다”
이 말에 이어
“죽음은 장래에 있는 것이 아니라
우리들은 이미 죽음의 대부분을 경과하였다”라고 한다

우리들이 누리는 삶은 그렇게 짧지 않다
인생은 충분히 긴 것이다
인생을 헛되이 낭비하여
마지막 순간에 깨닫는다
인생은 이미 지나가 버렸다는 것을

1971년 5월 9일 일요일

무엇을 할 것인가?

"제 자신에 대해서 거짓말을 하지 말 것
비록 지금 나의 생활 태도가
이성이 깨우쳐 주는 참된 길에서부터
아무리 멀리 떨어져 있더라도
진리를 두려워하지 말 것"

이 말은 톨스토이가 '무엇을 할 것인가?'라는
문제에 대해 스스로 발견한 해답이다.

톨스토이는 노동의 기쁨을 '전쟁과 평화'에 묘사하고 있지만
실제 톨스토이는 자신이 태어난 '야스나야 포리아나'의
자기 토지에서 노동의 기쁨을 체험하면서
하나님의 가르침을 가장 충실하게
지키려고 했던 것이었다.

1971년 5월 10일 월요일

밤하늘

밤이 되면
얼마나 반가운지 모른다

별들을 바라본다.
반짝반짝 영롱한 빛이
슬프게도 보이고
기쁘게도 보인다

다시 달을 본다.
저 황막한 밤하늘을
홀로 가는 나그네

어느덧 잠이 들고
아침 되어 깨어나면
의미 없고 암담한 하루

1971년 5월 12일 수요일

역경의 수양

〈톨스토이 인생론에서〉

"순경에 있을 때는 수양이니 노력이니 말하는 자도 있지만
일단 역경에 들어서게 되면 수양도 노력도 다 잊고 비관하는
자가 많다.
이러한 낭패적인 태도로서는 아직 수양을 말하기는 이르다.

우리들의 통례로 보면 고난이라는 것을 실제보다 더 크게
보는 폐해가 많다. 이 이상 더 큰 고난은 없다.
이렇게 불행한 경우가 있느냐며 용기를 잃고 낙담하는 자가
세상에는 많다. 그러한데 궁극에 처하면 통한다고
밤이 가장 까맣게 어두웠을 때 새벽 먼동이 트기 시작한다.

역경은 인간을 완성시키려고 하는 하늘의 시련(試鍊)이다.
하늘이 대임(大任)을 내리려고 할 때 우선 그 육신을
신고(辛苦)시킨다고 하는 격언도 반면의 진리를 말하고 있다.

고난으로부터 선(善)의 결과를 얻는 일은 필요하다.

환란이 너희를 완성시킨다고 하는 말이 있다.
실제 고난을 만나 몸과 마음을 단련한 사람은
이것을 선용하여 더욱 인격의 향상을 도모한다.

'플라톤'은 "공평한 벌은 신의 최선의 혜택"이라고 말하였다.
괴테는 "어떠한 고난도 시(詩)로 화하지 않는 것이 없다"고
말하였다.
추운 겨울 뒤에는 봄의 따뜻함이 온다.

'역경은 인격 수양의 좋은 시기이다.' '역경에서 수양하라'
이것은 인간에게 무엇보다 유익한 일이다.
순경(順境)의 수양은 누구나 쉽다.
역경에 감사하는 정도의 수양에 도달하지 않으면 안 된다."

무슨 일이든 잘되지 않을 때는
잘 안된다고 화를 내 봐야 필요 없다.
잘 안되면 '안 되는 일인가 보다'라고 생각하고,
잘 되면 '잘 되나 보다'라고 생각하자.
무엇이든 환경이 시킨 대로 따르자.

1971년 5월 28일 금요일

약한 믿음

벌써 6월
반년이 지나고 있다

교회를 나가고 있지만
믿음이 굳어지지 않는다

교회에 빠짐없이 나가고
진실로 믿는다면
믿음이 굳어지겠지

수양뿐 아니라
무엇이든 부족하다

1971년 6월 1일 화요일

신앙의 목표

'톨스토이 인생론' 중 '신앙론'에 있는
'신앙의 목표'에서
하나님께서 우리 인간을 만드셨다고 한다.

왜 인간을 만드셨을까?
그 목적이 무엇일까?

하나님이 인간을 만드셨으면
그럼 하나님은 누가 만드셨을까?

의문을 하게 되니 끝이 없고
마음을 걷잡을 수가 없다.

1971년 6월 2일 수요일

신앙에 헌신

하나님을 믿는 일에
몸과 마음을 바치고 싶다

괴로울 때나
화가 났을 때
기쁠 때나 슬플 때
자나 깨나 성경을 암송하자

지금 당장은 어렵지만
천천히 되겠지

1971년 6월 13일 일요일

교회를 선택

교회에 있을 때는
인생 문제를 생각하는데
사회로 나오면
그런 생각은 하고 싶지 않다

교회에 있으면
교회의 힘이 크고

사회에 있으면
사회의 힘이 크기 때문인가 보다
그래도 교회를 택하고 싶다

1971년 6월 26일 토요일

자연 속에서

복잡한 도시 속에서
텁텁한 공기를 마셔가며
이마에 내천(川) 자를 그리며
살고 싶지 않다

사방으로 둘러싸인
산속에서 살고 싶다

졸 졸 졸 졸
옥구슬 구르듯 흐르는
자그마한 개울물의 안내를 받아

모든 근심과 고통을
씻어 내릴 수 있는
자연 속에서

1971년 7월 9일 금요일

공부

공부를 하고 싶지만
학교는 다니기 싫다

다니기 싫은 게 아니라
다닐 수 없는 것이다

어떻게든지 고등학교는 나와야
어디 가서 무슨 일을 하든지
더 나을 거라고들 한다

사실 고등학교를 가려면
대학까지 바라보고 싶은데
학비가 없다
생각하면 머리가 복잡하다

1971년 7월 12일 월요일

감정과 이성(理性)

사람은 감정의 동물이라고 하지만
사람은 이성의 동물이다

감정은 파괴와 비참함을 가져오지만
이성은 창조와 평화를 가져온다

이성은 감정보다 높은 단계의 정신작용이다
이성은 아름다움을 느끼고 좋아하지만
감정은 불쾌하게 느끼고 싫어한다

이성은 알뜰하게 아끼고
아름다운 것을 만들어 내고
더러운 것을 치우게 되어
다시는 사회에 나타나지 않도록 한다

감정은 자극적이고 순간적인
판단으로 후회하지만

이성은 은근하고 지속적이라
고도로 판단할 수 있는
냉정한 능력이 있다

감정은 질서의 문란과 파괴를 이끌기 쉬우나
이성은 언제나 질서와 창조의 원동력이 된다

감정을 억제하고 이성으로 판단할 수 있는
능력을 길러야 한다

1971년 7월 13일 화요일

밤하늘 별들

밤하늘을 바라보니
하늘을 덮고 있는 흰 구름

바람이 지날 때
비껴진 흰 구름 사이로

맑게 빛나며 조는 듯
깜박거리는
별 빛을 바라본다

저 높고 넓은 우주 속의 별
그 빛이 신비롭고 정답다

저 별들 바라보며
살고 싶다

1971년 7월 14일 수요일

무리한 꿈

꿈을 키운다는 것이
어려운 것 같다

모든 조건이 합당하지 않는데도
무리하게 무지개 꿈을 키워왔다

고등학교 입학이란
무지개 꿈을

1971년 7월 26일 월요일

행복의 장애

가을 기운이 감도는

선선한 아침

신경을 건드리는

시끄러운 소음

머리가 아프다

이 생활 회피하고 싶다

자신의 위치에 대한 괴로움

스스로 괴롭게 만든 것일까?

행복의 장애는 지나치게 바라는 것

1971년 8월 5일 목요일

활동적인 무지(無知)

공부보다 인생을 아는 게
더 중요하다

괴테는 "활동적인 무지(無知)보다
더 무서운 것이 없다."고 한다

1971년 8월 8일 일요일

책을 산다는 것

책을 산다는 게 너무 기쁘다
화날 때 헌책방으로 가면 화가 풀린다

책 한 권을 끝까지 읽어본 적이 없다
헌책방에 들렀다가
좋은 책이 보이고
돈이 있으면
서슴없이 산다

오늘도 헌책방에서
'위대한 탐구'를 150원에 샀다

1971년 8월 11일 수요일

하루라는 시간

암담하고 무의미한 생활
'존 러스킨'의 글을 읽으며 힘을 얻는다

"이 세상을 창조한 신의 눈으로 본다면
이 하루라는 시간은
몇 천 년의 세월과 다름없는 의미가 있다.

아무리 작은 일이라도
가장 큰 일과 다름이 없는
신비에 차 있다.

우리는 순간의 찰나 속에
영원과 광대한 것을 감득할 수 있을 것이다

세상에서 이름은 내지 않았더라도
자기의 맡은 일을 충실히 해나가는 사람은
이미 신(神)과 더불어 있는 사람이다.

자기의 맡은 일을
어떻게 하면 더 잘할까 하고
노력하는 사람의 생활은

비록 단조롭고 표면상
무미건조하게 보일지 모르나
인생의 큰길을 걸어가는 사람이다."

1971년 8월 12일 목요일

진리와 함께

이제 알았다
항상 진리와 함께 있어야 함을

진리에서 조금만 떨어져 있어도
죄를 짓게 된다는 것을

항상 진리와 함께 있으면
악이 존재하지 못한다

1971년 8월 14일 토요일

마리솔의 리틀엔젤

'마리솔의 리틀엔젤'이란 영화를 보았다.
고아가 된 11살 어린 소녀가
작은아버지 집을 찾아가
거기서 거처하게 되는데
그 가정은 점점 파란의 구렁텅이로
빠져들어 가고 있었다.

작은 아버지는 작은 어머니에게 꼼짝 못 하고
아들은 친구에게 빚을 몽땅 짊어진 사람 등등
모두 이런 상황이다.

이런 가정에서 티 없이
천진난만하고 순진한 '마리솔'이
천사 같은 깨끗한 마음씨와 아름다운 노래로서
이런 가정의 가족에게 용기를 주어
가정을 건져낸 아름다운 이야기다.

1971년 8월 15일 일요일

깨끗한 마음

더러워진 내 마음을 티 하나 없이
깨끗이 씻고 싶다.
'마리솔의 리틀엔젤'에서
'마리솔'의 순진하고 티 없이
깨끗한 마음씨가
마음을 끌어 드리고 있다.

작년 이맘때쯤 읽었던 '찰스 디킨즈'의
'백합은 눈바람 속에'란 책이 생각나
조금 읽었다.

여주인공 '네루'도
천사같이 티 없이 맑고 고운 마음이
더욱 마음을 끌었다.

1971년 8월 17일 화요일

저 높은 곳을 향하여

멍하니 있지 말고
필요 없는 생각 하지 말고
항상 실질적인 생각을 하고
항상 마음을 비우고
배운 것은 잃지 않도록
주의하자

사회에서 돈 벌면서
공부한다는 게
보통 일이 아니다

저 높은 곳을 향하여
걸어가려 한다

1971년 8월 21일 토요일

죽음

인간사회에서 이것저것
재미를 느끼며 살다 보면
어느덧 죽음 앞에 서게 된다

이때 비로소 인생을 더듬어보며
모두가 허무한 것뿐이라고 하겠지

죽음을 생각하고 있으면
쓸데없는 행동은 하지 않을 것이다

1971년 8월 29일 일요일

신앙의 마음

저녁에 헌책방에 들려
'현대인 강좌' "학문의 길, 예술의 길"을
300원 주고 샀는데
값이 싸고 내용도 무척 좋을 듯하였다

사람이 병들고 힘이 없을 때
모든 것이 허망하여지고
믿을 것이란 하나도 없어질 때,
그때 비로소 예수님을 찾는다

이렇게 생각하는 것을 보면
어느 정도 신앙이 잡힌 것 같으나
아직도 멀었다

1971년 9월 22일 수요일

자연

자연이 세상을 감싸고 있지 않는가?
자연이 이렇게 좋은 걸

텁텁한 세상 공부 집어치우고
아름답고 신비한 자연을 공부하고
자연을 노래하고
하나님을 섬기고
예수님을 믿으면서 살 수 있으면
얼마나 좋을까?

1971년 10월 3일 일요일

하늘

구름 한 점 없이 맑은 하늘
하늘을 한참 바라보노라니
깨끗하지 못한 내 모습이 보인다

언제까지라도 바라보고 싶은
맑고 고운 저 하늘

저 높은 하늘에 있는 것처럼
마음도 넓어진다

1971년 10월 5일 화요일

의지력

모든 일에는 괴로움이 따르고
괴로움은 사람을 숭고하게 만든다.

사람에게는 의지력이 중요하다
의지력이 운명을 만든다.

공자님은
"동산에 오르니 노나라가 작게 보이고
태산에 오르니 천하가 작게 보인다"고 하셨다.

1971년 10월 8일 금요일

믿음

이 세상일보다
내 가족과 친지를 위해 기도하자

믿음보다 세상일에
더 많은 힘을 써서인지
교회 오면
세상과 믿음의 간격이 멀어진다

항상 성경을 읽으며 생각하고
주안에서 공부하고
일하려고 노력하자

1971년 10월 17일 일요일

생명의 애착

사는 게 너무 힘들어
죽고 싶다는 생각이 들곤 한다

이미 죽은 몸으로 생각하고
의로운 일을 해보자

생명을 던져 일하면 못 할 일이 없다.
사람이란 생명의 애착을 가지고 있어
큰일하기를 두려워하고 있다

모든 것을 주님께 맡기고
하나님을 아버지로 모신다면
가장 행복하리라

새로운 각오를 해본다
'성경 읽기와 기도'

1971년 10월 24일 일요일

인간과 인생

'인간과 인생' 문제
이것을 알아야 인생길을
올바로 걸어갈 수 있지 않을까?

지식이 부족하니
올바른 사색을 할 수 없다

진학을 해도 걱정
안 해도 걱정이다

고등학교에 합격해도
입학금이 어디서 나올지

고등학교 못 가면
앞으로 직업이 문제다
그래도 공부는 해보자

1971년 10월 28일 목요일

행복한 길

사람은 외롭고 괴로울 때
하나님을 찾고 예수님을 믿다가
심신이 편해지면
안일하게 살려 한다

괴로움을 당하더라도
예수님을 믿어야 한다

이유는 모른다
어쩌면 두려움에서 그런지도 모른다

육신은 비록 거지일망정
정신세계만은 부자가 되자

1971년 11월 7일 일요일

인생의 싸움

“왜 꼭 진학하려고 하느냐?” 묻는다면
그저 진학만을 꿈꾸었기 때문에
선뜻 대답할 수 없다

현 사회는 실력보다 앞서
학벌을 먼저 들추기 때문에
마음이 그쪽으로 쏠린 것이다

어느 정도의 지식은
학교가 아니라도
의욕만 있으면 어느 곳에서라도
쌓을 수 있다고 생각하지만
한낱 ‘이상(理想)’에 지나지 않을까 두렵다

인생의 싸움은
이상과 현실 사이의 공백을
채우기 위함이다

1971년 12월 26일 일요일

인생의 방향

나의 사명이 무엇인지?
지워진 굴레의 빚을
어떻게 청산할 것인가?

지금 필요한 것은
인생의 방향을 찾는 것

더 급한 일은
환경을 극복하는 일

사회에 나가서
환경에 무릎을 꿇는다면
영영 폐인이 되지 않을까?

사회의 환경에 휩쓸리지 않도록
인격을 수양해서
사회로 나가면 되지 않을까?

1971년 12월 30일 목요일

학비

연말이라고
망년회니 뭐니 요란하지만
나완 상관이 없다
생각조차 하기 싫다

그저 낮이 지나고
밤이 온다는 것이고
낮과 밤만이 있을 뿐이다
시작과 끝이 없는 것 같다

입학금만 부탁하고
학비를 벌겠다고 생각했지만
입 밖에 낼 수 없다

1971년 12월 31일 금요일

고독한 산보자의 꿈

루소의 '고독한 산보자의 꿈'을 읽으니
루소의 외침이 나에게 깊이 다가온다.

"나는 나의 인생의 남은 생애를 모두 바치고
'나' 라는 인간을 탐구하면서
나에 대한 인생의 총결산을 할 준비를 하겠다.
나날의 산보 도중
가끔 속세를 이탈한 방심에서 오는
무아의 황홀경에 도달할 때가 있었으나
지금엔 그 기억을 잊어버린 것이 한스러운 것이다."

"자기 내면적인 성격에 대한 반성을 거듭하고
그것을 정리함으로써 아직 남아 있을지 모르는
결점을 개선할 수 있다면
나의 명상도 그 보람이 있을 것이며
나 자신은 이제 이 지상에서는 무용한 인간이 되었지만
나의 노년을 유익하게 보낼 수 있지 않을까?"

1972년 1월 11일 화요일

본능

산다는 것이 그리도 좋은가?
완전히 무(無)로 돌아갔으면 좋겠다

살면서 괴로움을 당하기보다
아주 사라지는 것이 더 좋을 것 같다.
행복하다고 하면 더 살고 싶겠지

인간들은 본능적으로
살고 싶어 하지만
괴롭거나 허무감 때문에
자살한다

1972년 1월 23일 일요일

독서

'토인비'는 광범위한 지식을 받아들여
때가 되면 활용해야 한다고 한다

광범위한 지식을 얻을 때까지
주어질 시간이 있을지

왜! 사람들은
죽음이 멀리 있다고 생각할까?

언제 죽더라도
미련 없이 갈 수 있도록
죽음을 준비하며 살자

1972년 2월 2일 수요일

새로운 세계를 꿈꾸며

지금까지 무슨 생각을 하며
지내왔는지 모르겠다

무슨 생각에서
고등학교 가겠다고 시험을 봤으며
무슨 생각에서
합격을 바랬는지 모른다
다만 학교에 다니고 싶었을 뿐

공부하려는 것은
인생을 참되게 살려는 것이다

지금까지 수많은 세계를 꿈꾸어 왔고
또 그 속에서 살아왔다
'학생의 세계'에서 살고 싶었지만
이제 그 세계는 사라졌다
하나의 세계가 죽었으니
또 다른 세계가 기다리겠지

이제 다시 새로운 세계를 꿈꾼다
낮 시간에 일을 해서
학비를 마련해야 한다

10년 계획으로 뜻을 세우고 공부하고
인생의 목표점을 향해가는 길 뿐
이러한 세계가 가능할까?

비록 육신은 한 세계에 살다 죽지만
정신세계만은 수많은 세계를 꿈꾸며
거기서 산다

세상에서 꿈꾸던 세계는
죽음 저편 소망의 세계에 가기까지
고행(苦行)을 참는 거다

결국 정신세계는 산다
육신은 죽어도 정신만은 산다
정신일도 하사불성(情神一到 何事不成)

1972년 2월 12일 토요일

입지성공(立志成功)

'입지성공(立志成功)"이란 책에서
성공은
대개 부지런함과 노력과 독서
모두 자기 일에 성실했다

지금 나이 열여덟
약관 스물의 나이를 바라보는데
이루어 놓은 게 없으니
생각할수록 초조하고 조급하다
무엇을 해야 하나?

새벽 6시에 일어나
한 시간 정도 독서하고
나전칠기 일을 해야 할 것 같다

1972년 2월 17일 목요일

일생을 걸고 할 일

사소한 일에 신경을 안 쓰니
일이란 게 참 좋다

일하기 좋아하는 사람이
마음씨도 좋지 않을까?

종일 시간이 아깝지만
좋은 것을 배웠다

목숨과 일생을 걸고 해야 할
일을 찾아 열심히 하면
즐겁게 할 수 있지 않을까?

1972년 2월 19일 토요일

이상(理想)과 바른 길

고등학교를 포기하고
일하면서 독학한다고
지금 이러고 있다

막연한 꿈
이상(理想)만으로
만족하고 있지 않은지?

지나친 이상(理想) 때문에
정신없이 살아온 게 아닌가?

정신을 차리니 마음이 급해진다
빨리 꿈을 깨고
바른길을 걸어가야 한다

1972년 2월 26일 토요일

자연과 일

종일 눈이 내린다.
자연이란 무엇일까?

봄 여름 가을 겨울
정말 놀랍다

공장에서 자개 일과 심부름으로
하루를 보내고 있다

생활의 구체적인 계획도 없이
살고 있다

1972년 2월 27일 일요일

희망의 문

석간신문에서 읽은 '희망'에 관한 글이다

희망이 없으면 죽은 거나 다름없다
그렇다고 희망만 가지고 있는 것도 어리석다
희망이 있으면 행동하라

나무 밑에서 입 벌리고 있는 일은 안 된다
네 앞에 있는 문을 네가 열지 않고
가만히 있다면 언제 열릴 것인가

문이 잠겨있다고 해도
문을 두드려야
문을 열어주는 법이다

1972년 2월 28일 월요일

고드름 인생

처마 밑에 매달린 고드름
날씨가 풀리니
고드름도 물이 되어 떨어진다

그대로 둔다면
후엔 아무 흔적도 없겠지?

처음엔 물이었는데
추위 때문에 고드름이 되었다가
다시 추위가 풀리니 물이 된다
인생도 고드름 같다

1972년 3월 1일 수요일

진리는 신념을

공부를 해야 한다
공부 밖에 재미 붙일 곳이 없다

원대한 이상을 품어야 한다
그리고 행동해야 한다

구 광주 법원 길옆에
늘어놓고 파는 책 가게에
"세계 위인상"과 루소의 "에밀"도 있었다
둘 다 좋은 책이란 것은 알고 있으나 내용을 모르니
어느 것을 사서 읽어야 할지 몰라 그냥 보기만 했다

요즘 어떻게 살아야 할지도 모르겠고
무슨 책을 읽어야 할지도 모르겠다

"진리는 신념을, 신념은 용기를, 용기는 행동을 낳는다"
키에르케고르의 말이다.

1972년 3월 6일 월요일

편히 쉬고 싶다

종일 머리가 복잡하다
기억도 잘되지 않고
바로 옆에서 하는 말도
잘 들리지 않고
또 곧바로 잊어버린다
이유는 모르겠다

편히 좀 쉬었으면 좋겠는데
형편이 되지 않는다

그동안 읽었던 책 '세계 위인상'은
도움이 되지 않는다
그들의 저서를 직접 읽어야겠다

1972년 3월 13일 월요일

인생의 목적

왜!
인생을 목적도 없이
흐지부지 살려는 건가?

환경이 시키는 대로
맹목적으로 살라는 것은
아니지 않는가?

목적을 정하고
환경과 싸워
생활을 창조하고
개척해야 한다

아무리 복잡해도
핵심만 잡으면
쉽게 풀리지 않을까?

1972년 3월 18일 토요일

시간의 조각품

인생은 시간의 조각품
인간은 시간을 이용하여
좋은 모양을 만드는 조각가다

조각이 완성되기 전 재료는
마음대로 좋은 작품을 만들 수 있지만
한번 조각이 완성되면 되돌릴 수 없다

인생이란 작품을 구상하는 동안
시간이라는 연장에 의해 깎여 나간다

지금 어디로 가고 있는가?
무슨 일로 가고 있는가?

1972년 3월 20일 월요일

어떻게 사느냐?

이게 인생인가?
처음 인생에 대해 눈을 떴을 때
"왜 사는가?"를 질문하며
길을 찾느라 애썼다

지금 가는 이 길
스스로 택한 건 아니지만
하루하루
이 길로 접어 들어온 것이다

왜 사느냐 에는 해답이 없고
어떻게 사느냐 만이 있을 뿐이라고 한다

어떻게 사느냐?
해답을 찾는 것이 과제다

1972년 4월 2일 일요일

인생의 방향

앞을 볼 수 없는 맹인은
어디로 가야 할지
방향을 잡지 못한다

지금 가는 인생길
맹인처럼
앞이 보이지 않고
알 수도 없다

내가 누구며
세상이 무엇이고
인생은 무엇이며
어떻게 살아야 하는가?

1972년 4월 5일 수요일

자살(自殺)

숭전대(숭실대) 철학과 안병욱 교수의
'자살(自殺)'에 대한 글이다.

"인생의 보람은 '가치창조'에 있습니다. 삶에 대한 의욕을 상실한다는 것은 애정의 대상을 잃었기 때문이죠. 내가 말하는 애정의 대상은 부모나 애인이 될 수 있고, 학문, 사업, 예술일 수도 있습니다. 다시 말해서 사랑의 대상이란 자기 생명의 에너지를 바칠 수 있는 대상을 말합니다.

그것은 곧 생의 목표이기도 하지요. 생의 목표를 찾게 하는 것은 교육의 힘, 종교의 힘, 철학의 힘으로 가능합니다. 인생의 가치관은 어떻게 아름답게 늙느냐가 중요합니다.

죽음은 모든 것에서 완전히 떠나
무(無)로 돌아가는 것입니다.
인간은 사회적 가치창조를 하면서 아름답게 사는 것 보다
아름답게 죽는 것이 더 중요한 것 같아요."

1972년 4월 26일 수요일

인생은

모든 인간은 사형수와 같다
피할 길은 없다

초조 속에
죽을 날 만을 기다리는 인생
이 세상은 감옥인가?

죽음의 구렁텅이에 빠져
서서히 죽어가고 있다.

자기 생각으로 살기에
인생은
스스로 만들어 가고 있다

1972년 5월 7일 일요일

자아의 완성

'김형석 교수 에세이 전집 제4권' 중의 글이다.

"우리는 삶의 궁극적인 목적을
알지 못하고 있으나
어차피 삶을 우리고 있는 한
그 삶의 자기 충족은 있어야겠습니다.

자아의 완성은 있어야겠다는 말입니다.
그리고 그 일을 위하여 필요한 것은
자신에게 성실하자는 뜻입니다.

배울 것은 다 배우고
깨달을 것은 다 깨달아야 할 것입니다.
악을 버리고 선에 머물며 게으름을 떠나
근면해진다는 자세는 모든 인간들에게 주어진
최초의 과제일 것입니다."

1972년 5월 15일 월요일

언행심사(言行心事)의 가치

'젊은 날의 노트'란 책에서
사람은 "내가 아니면 할 수 없는
고귀한 사명을 가지고 왔다."는 것이다.
나에게도 위대한 사명이 있을까?

세상에 가치 없는 것은
필요 없기에
사람은 언행심사(言行心事)의
가치를 알아야 한다.

이 가치를 잊고 살면
헛된 시간을 보낸 것이다.

언행심사(言行心事)의
최고의 가치를 찾으면
인생을 알차게
채울 수 있지 않을까?

1972년 5월 26일 금요일

고귀한 사명

오후 6시에 학생회관에서
안병욱 교수와 이어령 교수의
강연회에 갔다

안병욱 교수의 '철학과 인생'
이어령 교수의 '문학과 생활'

'철학과 인생'에서
인생은 보람 있는 일에 땀을 흘리고
성심성의를 다 할 것을 강조 하신다

나의 고귀한 사명을 발견하는
결정적인 해답을 얻지 못했다

1972년 5월 27일 토요일

죽음의 준비

인간은 언제 죽음이 다가올지
아무도 알지 못한다
항상 준비되어 있어야 한다

여태 살아온 것만으로도 감사드리고
모든 것을 깨끗이 정리하고
깨끗한 마음으로
죽음을 맞이해야 한다

죽음 직전엔 거짓이 없다고 한다
악한 사람은 죽음을 두려워하고
죽음에 반항할 것이다

악(惡)으론 마음을 깨끗이 할 수 없고
선(善)으로만 가능하다

1972년 5월 29일 월요일

이상(理想)을 가지라

부분은 전체의 요소다
부분들이 모여 전체를 이룬다
부분이란 전체를 쪼갠 것이기 때문에
다른 부분이 섞이면
완전하게 이루어지지 않는다

전체를 알고 부분을 만들되
전체인 하나로 향해야 한다

전체의 대의(大意)라도
파악을 해야 하지 않을까?
전체를 알기 위해서 배워야한다

독서신문의
'조국의 젊은이들에게'라는 제목의 내용에서
어떻게 해서라도 배우라는 것이다
그래서 이상(理想)을 가지라는 것이다

1972년 5월 30일 화요일

시골의 자연

'효천'이란 마을로 접어드니
앞과 양옆으로 산이 조용히 둘러앉아 있고
큰 도로에서 마을로 들어가는 좁은 길
왼쪽은 펼쳐져 있는 논 옆으로
작은 개울이 흐르고
다른 한쪽으로는 들판이 펼쳐져 있다.

좁은 시골길을 자전거 타고 한참 가다가
자전거에서 내려 가만히 숨죽여 본다.

곧 터질 듯한 고요
가끔 멀리서 들려오는 뻐꾸기 소리
새 소리가 고요를 찢으려 하지만
다시 메워진다.

잠자는 풀잎이 깰세라
발걸음도 조용조용 가는데
스치는 바람에 놀라

풀잎이 소리친다.
사삭 사삭 사 사 삭

시끄러움이란 아예 찾을 수 없는 곳
맑고 깨끗한 공기
자연 그대로의 순수한 모습
얼마나 아름다운가?

풀냄새 보리 냄새
도시의 꽃향기보다 낫다.

험악하게 변해버린
도시의 복잡한 거리

도시의 더러운 먼지, 시꺼먼 매연, 험악한 인상들
시끄러운 자동차 소리, 손에는 칼, 눈에는 불을 켜고
인간 사이를 자르고, 태워버리고, 경쟁하는 모습들

효천에서 만난 사람들
악한 기운이라곤 보이지 않는다.

마을이 한집안 식구처럼
서로서로 넘치는 인정미
자연은 인간들이 살 수 있는
알맞은 조건을 갖추고 있는데
인간들이 파괴하고 있지 않는가?

도시 담장 위 핀 꽃들
꽃은 피었지만
고향을 잃고 슬픔에 잠긴 듯하다.

집으로 오니
뒤범벅된 생각으로 복잡하다.

앞으로 무엇을 어떻게 해야 할지?

1972년 6월 7일 수요일

용기와 신념

어떻게 살 것인가?
혼자 힘으로는 너무 어렵다.

청년기의 고난에 대한
'김형석 교수 에세이'를 읽으며 힘을 얻는다.

청년기는 근면과 더불어 활동의 기간이다.
가장 많은 일을 해야 하기 때문에
가장 큰 수고와 노력이 뒤따르기 마련이다.
그렇기 때문에 청년기는 분투와 고생의 기간임을
잊어서는 안 된다.

인간의 값이란
결국 수고와 노력의 대가이기 때문에
아무 수고와 고생 없이
평안하게 산다는 것 자체가 무의미하며,
무가치한 인생이 되어 버리고 만다.
또 한 가지 이유는

그런 생각을 하는 사람이
무엇을 고생으로 여기고 있는가를 살펴보면
곧 자기 자신을 발견하게 된다.

가장 건전하면서도 값있는 인생이란
꾸준히 어떤 가치를 향하여 노력하는 일이며
높은 뜻을 세우고 그 뜻이 성취되어 가는 데서 얻어지는
노력과 수고의 대가가 인생의 뜻이며 행복이다.

장년기에 심한 고생에 붙잡히는 사람이 있다.
장년기는 가장 길며 많은 활동을 해야 하는 기간이다.
그러기에 장년기에 많은 고생을 한 사람에게는
성공한 인물이 별로 없다.

인생의 성공과 실패란
장년기에 얼마나 일하며 무엇을 남겼는가에 달렸다.

그런데 이렇게 많은 활동과 뜻있는 노력을 바쳐야 할
장년기를 원하지 않은 고생과 뜻하지 못했던 수고로
다 소비해 버린다면 그는 일생을 실패하는 사람이며
누구보다도 생의 의를 발견하지 못하는

불행의 주인공이 되지 않을 수 없다.
세상에서 가장 불행한 사람은
늙어서 고생하는 사람이 아닐까?

인생이란
수고와 노력의 대가가 없이는
높고 귀한 것이
주어질 수 없게 되어졌기 때문에
그것이야말로 실패와 환멸을
스스로 인정할 수밖에 없는
가장 큰 불행의 결과가 아닐까?

한 사람의 일생을 통하여
가장 귀한 것 중의 하나는
청년기에 어려운 난관을 돌파한다는 일이다.
어차피 한번은 고생해야 할 인생이라면
될 수 있으면 청년기에 고생하는 것이 좋다.

청년기는 용기와 기력이 왕성하여
능히 어떠한 난관을 돌파할 수 있을 만한
힘이 주어져 있기 때문이라는 것이다.

청년기의 수고와 고생만큼
위대한 인간력(人間力)을 가지게 하는
요소가 없기 때문이다.
어려움을 이겨내는 용기와 신념
이것은 젊은 시절에
얻어두지 않으면 안 되는
하나의 특권인 것이다.

앞으로 어떠한 난관,
아무리 심한 고난이 찾아와도
능히 이겨 나갈 자신감이 생기는 동시에
인생은 이렇게 살아가는 것이라는
확신이 생기게 된다.

하나님은 가장 사랑하는 젊은이에게
고난을 주시는 게 아닐까?

1972년 6월 7일 수요일

노동과 직업

인생은 육체와 정신이 함께 살아야 한다
그것이 인간의 삶을 이루는 요소들이 아닐까?

육체의 삶을 유지하기 위해서는
의식주를 해결해야 하는데
노동의 대가를 얻어서
해결해야만 한다

인간은 노동을 하지 않으면
정신과 육체가 약해지고
의식주를 해결할 수 없다

육체가 살기 위해서는
먹을 수 있어야 하고
먹기 위해서
일을 하지 않을 수 없다

1972년 6월 12일 월요일

늙음의 고독 불안

‘지명관 교수’의 글을 읽으며 삶을 생각해본다.

“인간은 정신적 존재임이 틀림없다.
태아에서 무덤까지라고 말하는 서구에서도
노인의 고독은 어쩔 수 없는 것이 아닌가?

인간은 다시 말해서 정신적 존재이기 때문에
사랑이 없는 인생은 무의미한 것이 되겠다.
인간 행위는 결코 경제적 행위만으로는
만족할 수 없는 게 아니겠는가?

노인들에게 사랑의 대상을 주고
의미 있는 인생이 되게 하기 위해서
어떻게 해야 하는가?

정신적 행위를 활동시켜야 합니다.
그러나 가족과 분리에서 오는 사활(死活)은
치료할 수 없으며

삶의 가치를 발견하기 어렵겠죠.
종교의 힘으로
정신적 위안을 하려고 노력은 하지만
노인들은 빠져있다.
죽음에 대한 노인의 불안을
종교의 힘으로 구제 할 수 없다.
문제는 두뇌 활동을 정지해서는
안 된다는 것이다.
지식인의 경우는 이것이 어느 정도 가능하다.

토인비는 "이해 없이 늙는 것은 악덕이다."라고 했다.
늙은 몸이지만
삶이란 것은 신(神)의 부름을 받을 때까지
적극적인 자세로 생(生)에 임해야 한다는 것이다.

그러나 일반 사람에겐 어렵다.
사랑의 대상을 찾기 위해선
삶의 보람을 발견하고
창조 활동을 계속하는 것이다."

1972년 6월 22일 목요일

사랑의 대상

답답하고
애만 태웠던
하루가
저물고 있다

사랑의 대상을 찾기 위해선
삶의 보람을 발견하고
창조 활동을 하는 것이라 했고
두뇌활동을 정지해서는 안 된다 했다.

한 가지라도 재미가 있어야 할 텐데

1972년 6월 23일 금요일

흘려보낸 생각들

자기가 원하는 생각 모두
하나의 이상(理想)이다

할 일을 찾지 못하고
흘려버린 시간

손에 닿지도 않고
눈에 보이지 않는 것을 찾으려
항상 피로했고 살맛을 잃었다

이미 흘려보낸 생각들
나의 손에서 달아난 것들을 잡으려
찾아 헤매었던 노력의 대가다

1972년 6월 24일 토요일

열여덟 살의 각오

열여덟 살
이제 고등학교를 가자니
나이가 너무 지났다

뛰어난 사람들은
대부분 대학 교육 정도는
어떻게 해서든 받았던 것이다

그들과 같이 되지는 못할지언정
그들처럼 많은 공부를 하고 싶다

혼자 힘으로
대학 교육까지 받아보자

1972년 7월 6일 목요일

재수 없는 날

종일 비만 내린 날이다.
아침에 가구점으로 나가기 전에
자개 교자상을 배달하고 수금 해오라 하신다.
비가 너무 내려 선뜻 내키지 않았는데
그래도 형님은 배달하고 가게로 가라 하신다.

할 수 없이 교자상을 오른쪽 어깨에 메고 자전거를 탔는데
뒷바퀴 튜브에 구멍이 났는지 바람이 다 빠져 있다.
게다가 비까지 쏟아지니 화가 한 칸 더 올라갔다.

교자상을 오른쪽 어깨에 메고 있으니, 우산을 쓸 수도 없어
자전거는 왼손으로 끌고 걸어서 자전거 가게 가서 뒷바퀴에
바람을 넣고 나니 옷이 다 젖어 몸이 추워 왔다.

그래도 교자상을 오른쪽 어깨에 메고 왼손으로 자전거를
운전해서 학동 배달 장소까지 거의 도착했는데
교자상 귀퉁이를 부딪쳐 크게 망가져 있었다.

망가진 교자상을 배달해 줄 수 없으니
다시 공장으로 가지고 가야 하는데
좀 전에 부딪히면서 어깨까지 다쳤다.

게다가 귀퉁이가 망가진 교자상을 다시 가지고 오려고
자전거를 탔더니 이제는 앞바퀴에 바람이 빠져 버렸다.
자전거를 끌고 우리 공장까지 걸어서 갈 일이 아득했다.

교자상을 든 오른팔이 다쳤는지 어깨가 아파 오는데
비는 더욱 거세게 쏟아져 겉옷뿐 아니라 속옷까지
흥건히 다 젖어 마치 비 맞은 생쥐처럼
몸은 축축하고 춥고 다리도 뻐근하게 아프다.

비는 계속 내리는데 충장로 가구점으로 가야 해서
자전거를 왼손으로 끌고
오른손으로 교자상을 메고
터벅터벅 걸어서 갔더니
이제는 가구점 열쇠까지 안 가지고 왔다.

이렇게 힘들여 하는 일이
얼마나 가치가 있을까?

다른 직업을 택할 때까지
아침에 가구점 문 열고 청소하고

낮에 나전칠기 자개 일하고
필요한 재료 사 나르고

저녁때 가게로 저녁밥 배달하고

밤에 가구점 가게 문 닫고 돌아오는
일들이 계속될 것이다.

1972년 7월 10일 월요일

작가와 단어

작가는
단어 하나하나에도
신중을 기하지 않으면 안 된다
재삼재사 반복해서
확실을 기하여야 한다

학교에 갈 처지가 못 된다
간다면 좋긴 하겠지만
마음이 괴로울 것이고

못 간다면
나중에 남을
후회가 두렵나

1972년 7월 25일 화요일

세상

옥상에서 하늘을 보니
흰 구름이 여기저기 펼쳐져
구름 사이로 보이는 푸른 빛 하늘
멀리 보이는 무등산
눈앞에 보이는 주변의 낮은 건물들
이것이 인간 세상이다

다시 푸른 하늘을 바라본다
저 하늘도 오늘 밤엔
온 천체가 빛나겠지?

물질을 구하는 사람
정신적 양식을 구하는 사람

지구라는 껍데기 한쪽에 붙어있는
인간은 무엇이며
무엇 때문에 저러고 있을까?

1972년 8월 14일 월요일

생각하는 생활

‘독서신문(讀書新聞) 제91호’ 김형석 교수의
‘생각하는 생활’이란 글이다.

--중략--
근대화란 솔직히 말해서 다른 것이 아니다.
우리의 능력으로 20세기 후반기를
(다른 사회들과 어깨를 겨루며) 살아갈 수 있음을 말한다.
그러기 위해서는 국민들의 상당한 수가
20세기 후반기를 살아갈 수 있을 만한 지식을
축적해야 한다.

교육의 보급과 학문의 발전은 절대조건이 된다.
그리고 이 지식이 지표적인 이념과 방향을 찾아
어떤 공통된 가치관으로 변질 향상되어야 한다.

영국에는 공리(功利)주의, 미국엔 실용(實用) 사상이
그들의 민주 정신을 길러 주었듯이
우리는 우리에게 적합하고 뚜렷한 가치관을 수립해야 한다.

이러한 가치관이 형성되었을 때 비로소 우리는 지금까지
모순과 부조리를 만들고 있던 우리 사회의 정신적 질서와
사회제도의 변화를 가져올 수 있다.

이러한 정신적 성장과 주체성이 없이
눈에 보이는 기술의 도입, 제도의 모방에서
곧 근대화가 성취되리라고 믿는 것은 큰 오산이다.

그러나 지금 우리가 가장 긴요하게 문제 삼고 싶은 것은
다른 모든 것과 더불어 아니 다른 어떤 것보다도
긴요한 것은 신념으로서의 가치관을 정립해야 한다는 것이다.

문화도 그 흐름을 타고 창조되며
새로운 도덕과 윤리도 그로부터 정신적 기반을 얻는다.

나아가서는 정치, 경제 등의 모든 활동이 뚜렷한 이념과
방향을 찾을 수 있는 어떤 가치관이 수립되지 못한다면
우리는 물 위에 글을 쓰거나 모래 위에 집을 짓는 것 같은
헛된 노력을 되풀이하기 쉽다.
통일을 위해서 새로운 가치관은 절대로 필요한 것이다.

1972년 8월 24일 목요일

하루

만물들이 소리 높여
아침을 찬양하며
하루를 맞는다

태양은 하루를 싣고
인생을 싣고
광막한 시간의
벌판을 간다

태양이 지면
하루도 가고
인생도 가리니

1972년 9월 1일 금요일

밤의 흐느낌

밤새워 흐느끼는

풀잎 새의

풀벌레 소리

낮의 못다 함의 아쉬움인가?

고요의 흐느낌인가?

별의 흐느낌인가?

온 밤이 흐느낀다

1972년 9월 1일 금요일

등산 흔적

열심히 올라와
내려다보니

사소한 장애물에
정신을 빼앗기며
이렇게 올라왔다

올라 온 흔적이 없다
허망하다

1972년 9월 2일 토요일

고귀한 꽃

휘몰아치는 눈보라에
마비된 감각

살아 있다는 의미를
느낄 수 없다

지금 처지를 바라보며
마침내 체념한다

처지가 다르다 하여
스스로 시들 필요는 없다

눈보라 속에
나대로 아름답고
고귀한 꽃을 피우리라

1972년 9월 5일 화요일

교양이란?

'박재림 시인'의 '교양'이란 글이다.
그동안 내가 하고 있었던 고민들을
잘 설명해 주고 방향을 제시해 주었다.

"교양이란 마음의 화장이다.
교양이 몸에 배인 사람은
아름답게 보이기 마련이고,
어두운 밤에 등불을 켰을 때처럼
그의 마음은 항상 밝고 가벼운 것이다.

교양이란 세상을 살아가는
지혜의 밑거름과 같은 것이다.

교양을 갖춘 사람에겐
어려운 일에 부딪혔을 때
주저 없이 판단 할 수 있는 양식이
더불어 있는 것이다.

사회를 알고
자기를 알고
예술을 아는 사람은
곧 인생의 멀고 먼 길을 더듬어가는
등불을 가지고 있는 것과 같다.

그 등불이 마음속에 켜져 있는 사람에겐
비행(卑行)이 있을 수 없고
길을 잃고 헤매는 일이 있을 수 없다.

그리고 그의 마음속에는 동시에
부처가 있을 수 있고
신(神)이 있을 수 있다.

이같이 아는 것은 살아가는 힘이고
바로 살아가도록 길을 비추어 주는
등불인 것이다.

그러니까 교양을 갖춘 사람은
아름답게 뵈는 것이다.

현대 사회의 복잡하고 잡다한 지식들을
요령 있게 그리고 최소한의 것이라도
알고 있지 않으면
우리는 살아가는 방법을 잃게 되고
뒤떨어지게 된다.

현대인에게 있어서 교양은
마치 생활필수품처럼 되었다.

간결한 설명으로 모든 지식을 정리하여
단련 시켜주는 것이 교양인이다."

1972년 9월 5일 화요일

헛된 꿈을 깨라

헛된 꿈을 깨자
이불을 걷어차자

교양을 닦으면서
경제적으로 중류생활은
이루어 놓아야 한다

남에게 얻어먹는
거지가 되면 안 된다

평생 거지 신세 면하려면
사회로 뛰어들어
살아가는 법을 배워야 한다

1972년 9월 6일 수요일

종교

김형석 교수의 '종교'에 대한 글이다.

〈종교 교육〉

"같은 신앙으로 단결된
개인과 개인, 가정과 가정이야말로
진정한 협조, 사랑, 봉사의 주동체가
아닐 수 없습니다.

서로 형제 같이 믿고 도와줄 수 있으며
이웃들을 자기 몸과 같이 있다면
그보다 더 그립고 보람된 삶이
있을 수 있겠습니까?

모든 정성과 힘을 다하여 하나님을 섬기는 일은
그대로 이웃을 제 몸같이 사랑하는 일이라고 가르쳐주신
그리스도의 뜻이 바로 그런 것이었습니다.

근면하게 애써 얻은 수입의 십일조를
가난한 이웃들을 위하여 도울 수 있는
경제생활을 교회가 요청하는 이유도
여기에 있는 것입니다."

〈종교의 필요성〉

"우리들의 일생이나 가정생활이
언제나 평탄할 수는 없는 것입니다.
풍파를 겪어야 하는 때도 생기며,
뜻하지 못했던 불행에 붙잡힐 수도 있습니다.

심한 가난, 사업의 실패, 애정의 파탄,
사랑하는 가족의 별세 등은
어디에나 있을 수 있습니다.

모든 인간들이 지니고 있는
불안, 모순, 절망의 정신적 질환은
예로부터 오늘까지 종교적 신앙 이외에는
해결이 없었기 때문입니다.

그러므로 우리는 가정생활의
정신적 터전의 무너짐이 없는 기둥을
종교와 신앙에서 찾을 수 있도록
권고하는 것입니다.

참다운 신앙은 언제나
이상과 긍정의 인생관을 동반하기 때문에
모든 어려움을 참을 수 있으며
온갖 비참 속에서도 믿는 바가 있기 때문에
언제나 하나의 신념, 같은 뜻 밑에서
서로 위로와 권고와 기쁨을
나눌 수 있게 됩니다.

그들은 땅위에 살면서
성실과 최선을 다하여 이웃에 봉사하고 있으며
나아가서는 땅위의 삶이 끝날 그때에도
영원한 희망과 영생을 버리지 아니하고
사는 사람들입니다.

가장 고귀한 개인의 삶과 뜻이
그대로 가장 훌륭한 가정으로 화하고 있는 것입니다.

너희는 세상의 소금이니…

하는 말이 있듯이 믿는다고 하는

이름을 가진 사람들은

교회뿐만이 아닌 세상과 가정과 이웃의

소금이 되지 아니하면

죽은 믿음의 소유자라고 밖에

단정할 수 없는 것입니다.”

1972년 9월 6일 수요일

후회

악한 생각과 말과 행동으로
마음이 편치 않다

마음을 부드럽게 하고 싶은데
쓸데없는 자존심 때문에

별일도 아닌데 화만 내고
남의 마음을 상하게 했던 일
아직도 씁쓸함이 감돈다

선하고 참된 생각 아니면
입을 열지 않으리

1972년 9월 7일 목요일

정신적 양식

정신이 살아있는 증거는
올바로 생각하고 깨닫는 것

세상에서 살기 위해
먹고, 마시고, 입고, 자고
우선은 살아야 한다

학문, 예술, 종교 등 모든 것은
인간의 육신이 살고 난 후
필요한 정신적인 것들이다

완전한 인간이 되려면
정신과 육체가 같이 살아야 한다

아직 살아 있기에
정신적 양식을 채워야 한다

1972년 9월 9일 토요일

삶의 권태

하루가 시작 되었는데
모든 일이 권태롭다

미칠 듯이 답답하다
삶의 재미를 느낄 수 없다

그저 내던져 버리고 싶을 뿐
몸이 불편해서 일까?

밤에 교회 가서 성경 공부를 하자
세상의 모든 책보다 낫다고 했다

1972년 9월 10일 일요일

작가의 꿈

만일 그대가
작가가 되기를 원한다면
이름난 명작들을 많이 읽어야 한다

역사와 사회를 공부해야 하고
철학도 공부해야 하고
외국어도 어느 정도는
알아야 한다

1972년 9월 10일 일요일

정신 안정

새벽에 일어나
한문, 성경, 철학을 공부하려는데
정신이 흐려져
아무것도 할 수 없다

새벽엔 피곤하여
일어날 수 없고
밤에는 시간이 없다

항상 마음이 불안하여
한곳에 오래 집중 못하고
신경이 곤두서 피곤하다

우선 급한 것은
정신 안정을 위해
잡념을 제거하는 것이다

1972년 9월 12일 화요일

염세(厭世)

답답하여
숨이 막힌다

재미를 느낄 수 없다
세상이 너무 팍팍하다

끝없는 벌판만이
눈에 아른거린다

살고 싶은 마음은 없는데
죽지 못하는 것은
무엇 때문인가?

1972년 9월 15일 금요일

새로운 생활

변화가 없는 지루한 생활
새로운 것을 바라는 마음은
모든 인간의 마음이리라

이 생활을 계속할 것인가?
새로운 생활을 개척할 것인가?

잡념 없이 일하고
공부에만 전념할 수 있는

일하고 공부하는
환경을 택하고 싶다

1972년 9월 27일 수요일

중간 위치

사회인도 아니고
학생도 아닌
중간 위치

중간 위치란 수험생 밖에 없는데
엄연히 사회에 발을 딛고 있다

환경은 육신을 사회로 내몰고
마음은 안 가려 버티고
싸움 중이다

어차피 '사회'란 곳을 알아야 한다
여기서 살고 여기서 죽을 것이 아닌가?

죽을 때까지는 살아야 하지 않을까?
언제 죽을지 모르지만

1972년 9월 28일 목요일

밤 별

가구점 문 닫고 오는 길
밤별이 총총히 빛난다

가을 옷을 입었어도
오싹오싹 떨린다

추위에 떠는 듯
깜박거리는
불빛과 별빛

점심까지 굶으니
살 마르는 소리가 들린다

1972년 10월 4일 수요일

막연한 미래

어떻게 살 것인가?
다시 원점으로 돌아간다
살길이 막연하다

사방은 자욱한 안개
답답하여 숨 쉴 수 없다

"책 속에 길이 있고
길속에 인생이 있다"고 한다.

고등과정 3년
대학과정 4년

7년 공부
그러면 인생길이 보이지 않을까?

1972년 10월 10일 화요일

영원과 순간

책꽂이에서 무심코 집어든 책
'명상의 시간'을 펴보던 중
'영원과 순간'이란 제목이 보인다

세상의 부귀영화, 권세, 인생들의 육체도
모든 것은 한순간 한 때
즐거움과 슬픔도 한때
인생은 왔다 간다

인생은 한 순간이지만
하나님 말씀은 영원하다

1972년 10월 23일 월요일

날개 잃은 새

무의미한 인생
세상에서 힘껏
하늘을 찌를 듯
날아보고 싶지만
한 낮 단잠의 꿈

아직 단념되지 않고
마음 한구석에서
꿈틀거리는 꿈

저 끝없이 높은 곳을 향해
힘껏 날고 싶은데
날지 못하는
날개 잃은 새

1972년 11월 11일 토요일

공부의 각오

월산동 헌책방에 가서
헌 참고서 한 권을 200원에 팔고
'이광수의 도산 안창호와 이순신'을 500원 주고 샀다.
꼭 읽고 싶은 책이다.

임어당 선생의 '독서라는 예술'을 읽었다.
어려운 낱말 때문에 자세히 이해는 못 했지만
대강의 뜻은 알 수 있었다.

독서라는 것은 어떤 마음가짐으로 해야 하는가?
독서의 자세에 대한 얘기였다.

공부하는 것은 진리 탐구여야 한다는 것이다.
돈 벌고 공부하면 더욱 좋다고 한다.

앞으로 몇 년 동안
공부를 계속하자.

1972년 11월 15일 수요일

인격의 완성

사람 산다는 게
모든 동물처럼
먹고, 마시고, 자고, 일하며 사는 것인가?

위인과 범인과의 차이는 무엇인가?
공부하는 것도
인격 완성을 위한 수단일까?
인생의 목적이 인격의 완성일까?

독서를 해야 할 텐데
의지가 약하여
책이 손에 잡히지 않아
우선 '성서'를 읽으려 한다.

1972년 11월 20일 월요일

존엄한 생명

어떻게 살아야 할까?
높은 이상을 가지고
살아야 하는가?

우리의 생명과 생애는
존엄하기 때문에
되는 대로 살 수 없다

1972년 11월 23일 목요일

불타는 인생

과거 시간은 자꾸 멀어져
잡을 수 없는 시간인데

생의 종말에 가서
타고 남은 재 같은
인생을 돌아보며
아쉬워 할 것인가?

인생은 불붙은 도화선
점점 불타고 있다

얼마 남지 않은 인생
정도(正道)를 걷자

1972년 12월 5일 화요일

책만 봐도 좋다

의미 없고 가치 없는 생활
먹고, 일하고, 자고
동물들의 삶과 같다

독서하는 생활은
무가치하지 않다지만
지금 형편으로는
매우 어렵다

책을 넣어둔 가방에서
책을 뒤지는 기분이 좋다.

책만 봐도 기분이 좋아
중요하지 않은 책들을 많이 샀다

1973년 1월 19일 금요일

막연함 삶

삶의 막연함을
해결해 보려
철학책을 읽고 있다

지구란 곳
인생들이 살고난 후
끝내 소멸될 장소

살면서 배우면서
생의 목적을 구하면
그게 인생이 될 것이다

1973년 3월 4일 일요일

생의 좌표

앉은 다리 책상을
다리만 높여 들여 놓았더니
훨씬 고상한 냄새가 난다.

오래전에 샀던 책 안병욱 교수의 수상집
'인생은 예술처럼'을 읽는데
'생의 좌표'라는 글이 눈에 들어온다.

"인생은 사는 것이 중요한 문제가 아니다.
바로 사는 것이 중요한 문제다.

인생을
좀 더 건강하게
좀 더 아름답게
좀 더 충실하게
좀 더 지혜롭게
사는 것이 중요한 일이다."

1973년 3월 28일 수요일

진리

모든 것을 팔아 진리를 사고
온갖 것을 다 바쳐 진리를 찾고 싶다.
돈도 이름도 쾌락도 다 팔아서
목숨을 바치고 싶은 한 가지
그것은 다름 아닌 진리다.

진리가 내 것이 될 때
무엇 때문에 사는지
알게 될 것 같다.

정신적 보람과 만족감은
뜻 있는 일, 가치 있는 일을
이루었을 때 오는 것

가치 있는 일을 위해
땀을 흘리고 정성을 쏟는
노력을 기울여야 한다.

1973년 4월 1일 일요일

사색과 예지

하늘은 우리에게
일회성의 생명을 부여하셨다.

우리는 저마다 자기의 생명에
저다운 가치를 부여해야 한다.

인생의 가치와 보람과
의미를 부여하기 위해
삶에 대해 진지한 사색이 필요하다.

인생을 바로 살려면
바로 사색해야 한다.

"스스로 생각하고
스스로 탐구하고
제 발로 서라"고
칸트는 말했다.

사색은
인간을 위대하게 만들고

예지는
인간에게 품위와 존엄을 부여한다.

인간의 행복은 옳은 행동에서 오고
옳은 행동은 옳은 판단에서 오고
옳은 판단은 옳은 사색에서 온다.

우리는 자기 머리로 생각하고
자기 발로 서는
자주적 지성인이 되기 위해
좀 더 진지하게 사색해야 한다.

사색은 독서와 체험의 뒷받침을 필요로 한다.
독서 없는 사색은 독단에 흐르기 쉽고
체험 없는 사색은 공허에 빠지기 쉽다.

1973년 4월 2일 월요일

문학과 인생

인생의 모든 문제를
사유(思惟)해 봐야 한다
"잡서 100권보다 고전 한 권이 더 낫다."고 했다.

문학은 인생을 보는 눈과 예지를 준다.
우선 문학 작품부터 읽기로 했다.

그 속에서 안목이 텄을 때
그것은 바른 사고와 행동으로
연결 지을 수 있지 않을까?

문학은
세계와 인생을
해명하고 탐구하여
그로부터 얻은 교훈은 귀하다.

1973년 4월 3일 화요일

방황

사람이란 뜻을 세우고
그 뜻을 향해 가야 하는데

지금 처지는 아무 생각 없이
목적 없이 길을 걷고 있다.

목적지를 두고
걸어가야 할 텐데
갈 곳은 어디인가?

갈 길을 정하는 데
세상이 어떤 곳인지
알아야 하고
모든 것을 알아야 한다.

1973년 4월 7일 토요일

정신세계의 목마름

나에게 많은 책이 있지만
정작 필요한 책은 없다.

몸이 아플 때 약
목마를 때 생수
배고플 때 음식이
필요한 줄 알고 있지만

정신세계에서
뭔가 필요한데
꼭 집어낼 수 없다.

1973년 4월 12일 목요일

욕망은 목표를

뚜렷한 목표도 없이
살고 있는 인생
목표를 어디로 정할까?

욕망은 목표를 낳고
목표는 행동을 낳는다.

신은 인간에게
욕망만 부여하신 것이 아니라
그 능력까지 부여하셨다.

에머슨은 "욕망은 끝이 없다
그러므로 발전이 있는 것이다"라고 했다.

인생, 우주, 삶, 죽음, 도덕, 양심 등
세상의 모든 것을
해명하는 일이 급선무다.

1973년 4월 15일 일요일

육신의 삶과 노동

내 삶을 내 마음대로
할 수 없는
종일 짓눌리고 얽매인 생활

무의미하게 여겨 왔던
육신을 위한 삶

육신의 삶을 위한
하루의 수고
이걸 인생으로 알았다

정신이 육체 안에 있기에
최대의 가치다고
할 수 있지 않을까?

1973년 4월 28일 토요일

답답한 마음

하루 일을 마친 후 답답함이 밀려와
밖으로 나갔으나 갈 곳이 없다
발이 가는대로 걸었다

밤은 점점 깊어 가는데
걸어도 걸어도 답답한 마음
걷다 보니
광주공원 앞이다

왜 이리 쏘다니는지 모른다
아직 삶에 대해 아무것도 모른다

육신의 생명을 위해
하루 일하고 나면
남는 건 답답한 마음뿐

1973년 5월 19일 토요일

일과 사색

앞길을 어떻게 개척할 것인가?
낮에 일하고
밤엔 사색하자

정신에 대해
깊이 생각해 본 적이 없다
인간의 정신을 빼면 어떻게 될까?

차가운 세상
일하는 것도 재미가 없다
모든 주위가 날 외면하고 있다

1973년 5월 23일 수요일

세월의 흐름

눈 깜짝할 사이에
우린 어른이 되고
또 늙을 것이다

인생의 크고 작은
모든 문제에 대해
깊이 생각해 봐야 한다

죽음이란 것을
생각해야 한다

누구나 죽음 앞에
서지 않으면 안 된다

1973년 6월 4일 월요일

신경과민

며칠 전 빌려온 책
머리로 들어가지 않고
눈으로만 읽고 있다

모든 게 귀찮을 뿐
아무것도 하기 싫다

신경을 자극하는 잡음들
조용히 쉬고 싶을 뿐

미친 듯이
소리 지르고 싶다
지쳐 쓰러지도록

1973년 6월 22일 금요일

고독과 외로움

사랑해 주는 사람도
사랑해야 할 사람도
대화할 사람조차 없다

고달픈 육신이
편히 쉴 곳도
행복도 즐거움도

오직 남은 건
고독과 외로움뿐

1973년 6월 28일 목요일

사색하는 인생

항상 고요함 속에
나를 바라보며

사색하며
글 쓰는
고상한 삶을
살고 싶다

1973년 7월 10일 화요일

사명

맑게 갠 하늘, 선선한 바람, 조용한 거리
평화롭게 들리는 참새들의 지저귐
잠시 후면 모두 사라지겠지

죽는 순간
맡겨진 할 일을 다 했다고
말할 수 있어야 한다
세상에서 해야 할 일을 알고
인간, 자연, 하나님을 알아야 한다

생업을 결정하고
남에게 굽히지 않고
떳떳하게 살아야 한다

지금 잡 생각할 틈이 없는데
아직 잡념이 있는 걸 보면
정신을 더 바짝 차려야 한다

1973년 7월 23일 월요일

이상적인 삶

순간적으로 사라져 갈
계획에 살지 말고

좀 더 깊고 가치 있는
사색 속에서
아직 모르는 것들에 대해
깊이 있게 알고
살기를 원한다

인생과 자연과 하나님을
알 수 있으면
가장 이상적인 삶이 아닐까?

1973년 8월 2일 목요일

인품의 결정

인간이 아무 생각 없이
그저 일하고, 먹고, 자고 한다면
짐승과 다를 바 무엇일까?

밤에 읽은 '동양 명언'의 내용이다

늘 보는 눈을 높이 가지라
착안이 높지 않고서는 높은 도리를 발견할 수 없다
여러분은 책 속에서나 혹은 인생에 있어서 될 수 있는 대로
훌륭했던 사람들의 발자취를 살피고 그들이 무엇을 숭배하고
무엇을 소중히 했던가를 배워라

사람은 첫째
무엇을 숭배하고 동경하느냐에 따라
인품이 결정된다

여러분은 모름지기
위대한 것에 대한 소망을 가지고 있다

위대한 공명, 위대한 업적, 위대한 명성
그러나 팔짱을 끼고 앉아서는 앉아서
생각만으로는 결코
위대한 것에 접근하지 못한다

우선 손닿는 가까운 일부터
성의를 다해서 묵묵히 일하는 것이
첫걸음이다

위대한 목표도
비속한 일에서 차츰차츰
길이 트인다는 것을 잊어서는 안 된다

쾌락에서 기쁨을 구하지 말라
내가 계획한 좋은 일을
전력을 다해서 했을 때
그 기쁨만큼 큰 것이 또 어디 있으랴

1973년 9월 14일 금요일

작가의 삶

지금 육체노동 외에는
아무것도 할 수 없다

육체노동의 생활
가치를 발견할 수가 없다
무가치한 삶

독서하고 사색하고
글 쓰는 생활
훨씬 가치 있지 않을까?

1973년 10월 8일 월요일

무지(無知)

철학의 궁극적인 목적은
신(神)을 찾는 데 있다 한다

인생이 무엇인지?
우주, 사회, 세계 등
수 없는 질문에 대해
아무것도 모르고
하나도 답하지 못하고 있다

1973년 10월 9일 화요일

한없는 그리움

무미건조한 인생
즐거움이 없고
외롭고 쓸쓸하다
회피하고 싶다

한없이 그리워지는 건
무한한 환희
행복한 인생
행복한 사랑

1973년 10월 11일 목요일

인생의 나침반

인생의 목적지를 정하기 위해
지도와 나침반이 필요하다

예술가가 아무 생각 없이
창작하고 있다면

항해사가 목적지 없이
항해 한다면

키를 잡지도 않고
운전도 않는다면

그 배는 어디 가서
어떻게 될까?

1973년 10월 21일 일요일

낙엽

한여름

파릇파릇 생생한 이파리

지어진 그늘 밑으로 부는 바람

땀을 씻던 날은 지나

붉게 물든 단풍

스치는 바람에 날리어

땅으로 돌아가는

마른 잎들

내 모습 같다

1973년 11월 17일 토요일

망설임 보다 실패를

앞날의 계획도 없이
하루하루 살아가는 모습
한심스럽다.

'버트란트 러셀'의 말을 생각해 본다.

"눈앞의 것만 바라보고 살아가는 것이 아니라
좀 더 먼 곳을 바라보며
미래 속에 묻힌 꿈을 바라보고 살아야 한다.

현재보다 좀 더 아름다운 것을 바라고
좀 더 의젓한 것을 원하고
좀 더 번듯하고 보람 있는 것을 희망하고 있다.

때 묻은 현실에 있으면서
꿈을 향하여 걸어가고 있다.
우리에게 맑고 고운 꿈이 없다면
무엇으로서 때 묻은 현실을 씻을 것인가?

아름다운 꿈을 지니라
때 묻은 오늘이 순화되고 정화될 수 있다.

먼 곳의 꿈을 바라보며
하루하루 그 마음의 때를
씻어 나가는 것이 생활이다.
아니 그것이 생활을 헤치고 나가는 힘이다.
이것이야말로 나의 싸움이며 기쁨이다.

무엇을 소망하고 동경하느냐
그 정신의 크기에 따라 인물의 가치가 결정된다.
망설이는 것보다 차라리 실패를 선택하라."

1973년 11월 18일 일요일

사치

쌀쌀한 날씨
충장로 거리를
한 시간 동안 헤매다 돌아왔다
멋쟁이들 사치가 너무 지나치다
외모로 사람의 값을 정할 수는 없다

의복이란
예의를 차릴 수 있을 정도면 된다

잠자리에 드니
하루를 살긴 살았어도
할 일을 다 하지 않은 듯
형체 없이 밀려오는 불인김

뭔가 할 일을 마치고
자야 할 것 같은데

1973년 11월 21일 수요일

재능

루즈벨트의 말이다.

"땅속에 무진장으로
금광이 들어 있듯이
사람의 정신 속에도
파면 팔수록 빛나는
재능이 들어있다.

오직 노력만이
나의 재능을 빛낼 수 있다."

1973년 11월 29일 목요일

크리스마스 이브

살을 베어내듯
매서운 찬바람
사람으로 붐비는
충장로 밤거리

어제 내린 눈으로
한층 빛나는
크리스마스이브

괜히 설레는 마음
감상적인 기분

설렐 이유가 없는데
감상적이어서는 안 되는데

1973년 12월 24일 월요일

1974년 계획

갑자기 풀린 날씨
따뜻한 햇볕
나른해진 몸

다가오는 1974년
뜻있는 생활이 되어야 한다

정직하게 살자
몸과 마음을 건강하게 지키자
성경을 읽고, 배우고
행동으로 옮기자

세상의 지식을 넓히자
모든 사물을
비판할 수 있도록

1973년 12월 26일 수요일

새해맞이

시작된 새해
하루가
맥없이 지나간다

정의와 진리에 굳게 서서
최악의 상황에서
최선의 경우를 창조하는 정신

순간의 실패를
실패로 알지 않고

굳세게 끝까지 전진하는 정신
그 속에 성공이 온다

1974년 1월 1일 화요일

사람의 차이

배운 사람과

배우지 못한 사람의 차이는

취미생활을 즐기는 방법

말과 행동

모든 것을 생각하는

정신적 세계가

다르지 않을까?

1974년 1월 3일 목요일

결의(決意)

사상(思想)이 있으면 희망이 있고
희망이 있으면 노력하게 된다

평소 생활하며 느낀 것을
자기 사상(思想)으로 삼는다

작은 나를 벗어나
널리 이웃과 사회와 국가를
생각해야 한다

참되게 인간답게 살기를 결의한다

지금 죽는다 해도
거리낌 후회 없이
할 일을 다 하고
만족스럽게 죽는다고
말할 수 있도록 하리라

1974년 1월 9일 수요일

진리의 편에 서서

진리의 편에 서서
참되게 살 것인가?

이것도 아니고
저것도 아니고
아무렇게나
흐지부지 살 것인가?

어떻게 하면
진리의 편에 서서
참되게 살 수 있는가?

1974년 1월 10일 목요일

분노와 인내

하루를 사노라면
화가 치밀어 오르고
참는 일까지도 분통이 터진다
이런 것들을 참아 내어야 한다

푸시킨의 시(詩)가 새삼 느껴진다

“삶이 그대를 속이더라도
슬퍼하거나 노하지 말라
슬픔을 참고 견디면
머지않아 기쁨이 찾아오리니

현재는 항상 슬프고 괴로운 것
마음은 미래에 사는 것
슬픔의 날은 순간에 지나가고
지나간 것은 또한 그리워지나니”

1974년 1월 15일 화요일

정신이 산다는 것

독서하는 생활
주경야독(晝耕夜讀)
낮에 일하고 밤에 책을 읽는다

낮에 육신을 살리고
밤에는 정신을 살린다
정신이 산다는 것은
생각을 한다는 것이다

움직이지 않는 육체는
병들거나 죽은 육신이듯
생각하지 않는 정신은
병들거나 죽은 정신이다
병든 정신이 되어서 안 된다

건설적인 보람 있는 생각
가치 있는 생각

1974년 1월 15일 화요일

작가의 모습

작가가 될 수 있을까?

책상 앞에 앉아
조용히 내려 뜬 눈

원고지 위로 달리는 연필
항상 고상한 모습이다

1974년 1월 19일 토요일

인생의 봄날

청년 시절은 인생의 봄날
장년기에 들어서면
청년기를 그리워한다고 한다

청년의 황금기를
어떻게 보내느냐에 따라

인생을 후회하기도 하고,
알차게 살 수 있다고 한다

청년 시절을
정신과 영혼을 위해
싸우면서 닦아 간다면
완전하고 아름다운
인생이 되지 않을까?

1974년 1월 29일 화요일

사랑과 존경

사랑은
인격을 높이고
마음을 살찌우고
생활을 정화한다

진실한 사랑은
서로가 존경할 수 있어야 하며
존경받을 수 있어야 한다

존경받을 수 있는 방법은
정신과 육체가 건강하고
정신적인 삶과 육체적인 삶을
풍족하게 누릴 능력을 지닌
사람이 아닐까?

1974년 1월 30일 수요일

봄이 온다고

뒷동산
봄 햇살 아래
지저귀며 나르는 종달새도
봄이 온다고

뒷동산
피어나는 아지랑이
파릇파릇
기지개 켜는 새싹들도
봄이 온다고

1974년 2월 1일 금요일

희망과 사색

내일을 위해
아름다운 꿈을 간직하고
살아야 한다

인간이 희망 없이
산다는 것은
커다란 불행의 하나이다

희망이 없다면
침체와 권태 속에서
헤어나지 못할 것이다

사색은 인생을 살찌게 하는
값진 보약이다

1974년 2월 2일 토요일

삶이라는 예술

인간의 사명은
삶이라는
대리석을 조각하는 일이다

얼마나 아름답고 가치 있게
삶이라는 예술을 이룩했는가?

쉬지 말고
한눈팔지 말고
열심히 조각하라

각자에게 주어진 삶은
하나님께서 주신 것이다

74년 2월 3일 일요일

보람 있는 삶

보람 있는 삶이 되려면
자기만의 세계를
가져야 하지 않을까?

희망 없이 사는 사람들에게
엄습해 오는 허무와 권태

무엇을 위해
누구를 위해
이런 삶을 사는지

1974년 2월 13일 수요일

마음 혁명

마음 혁명을 일으키지 않으면
위대한 인간이 될 수 없다

책임 없는 무능한 인간되어
할 일 없이 빈둥거리면 안 된다
큰 뜻을 가진 청년이 돼야 한다

큰일을 하려면
힘을 길러야 한다
배워야 한다

1974년 2월 18일 월요일

군 입대와 장래

얼마 있지 않으면
군에 입대해야 한다.
군 생활 3년은
사회적 공백 기간이라 한다

제대하고 사회에 나오면
제2의 인생 문제에
부딪히게 된다

무엇으로 내 삶을 유지할 것인가?
마땅한 직업도 없다
전문적인 지식도 없다

나전칠기 직업은
희망이 없다
답답하다

1974년 2월 21일 목요일

출세라는 것

사회라는 걸
너무 몰랐던 탓일까?

지금까지 출세라는 것을
생각해 본 일이 없고
해 볼 수도 없었다

땅 위를 기는 뱀처럼
그저 땅만 바라보고
하늘을 볼 수 없음인가?

1974년 2월 23일 토요일

생의 섭리

인간은 존재하기 위해
태어난 것이 아니라
생활하기 위해 있는 것이다

자신을
찾고
가꾸고
키워 나가고
거룩하게 승화시키는 게
생의 섭리가 아닐까?

1974년 2월 27일 수요일

마음은 공부에

아침 식전 심부름
자욱한 아침 안개

자전거로 길을 나섰다
어제 내린 보슬비로 진탕 길이다

안개가 걷히니 맑게 갠 하늘
햇빛이 드러나니 포근하다
어느덧 봄인가?

이것도 아니고
저것도 아닌 생활

몸은 공장에 있고
마음은 공부에 있으니

1974년 3월 4일 월요일

인간다운 생활

자정이 지나 0시 40분
야근 끝내고 씻고 잠자리에 든다

라디오에서 흐르는 음악으로
지친 몸과 마음을 이기려 한다

무엇을 위해 이렇게 일하는지?
인간답게 살고 싶다
하고 싶은 일도 많고
편히 쉬고도 싶다

적당히 일하고
쉬고
생활을 즐기고
적당히 잠자는 것
이것이 인간다운 생활일 텐데

1974년 3월 5일 화요일

봄맞이

화창한 봄 날씨
뛰어나가고 싶다

봄맞이 여행 같은 건
그저 바램 일뿐

밖을 바라보니
푸른 산이 보인다
정말 반갑다

1974년 3월 8일 금요일

고달픔

새벽 2시
일의 고달픔
삶의 고달픔
육신의 고달픔
쓰러질 것만 같다
몸 상태가 좋지 않다

이것도 일시적인 한고비일 뿐
계속은 아니리라
위안을 삼아본다

매우 차가워진 밤바람
다시 추워지려는지
책은 펴보지도 못하고

1974년 3월 10일 일요일

과로

계속된 야근
오늘도 밤 12시
너무 과로한 것 같다

낮에 일을 하면서도
정신을 차릴 수 없어
어떻게 일을 끝냈는지 모른다

1974년 3월 12일 화요일

참된 문명인(文明人)

참된 문명인(文明人)이란
인생에 있어서
자기의 사명을 바로 알고
참되게 살아가는 사람이다

뼈아픈 고통을 거친 인간만이
참된 행복을 느낄 수 있다

참되게 살아가리라
꺼지지 않는
한 줄기 빛이 되리라
영원한 빛이 되리라

1974년 3월 23일 도요일

정신력

자개 공방 일이 적자운영이라고
책임을 씌우고 추궁이다

자개공방 책임자보다
더 무거운 책임을 지고
몸을 버려가면서
최선을 다해 일을 했는데
어떻게 하라는 건지
더 이상 해볼 재간이 없다

인간을 무한히 성장시키는 것은
정신력이다

1974년 3월 24일 일요일

작가가 되고 싶다

작가가 되고 싶은데
이것도 학교를 나와야 하는 건지

비록 남과 같이 배우지 못했어도
인생이란 것을 알고 즐기고 있다고
자신 있게 말 할 수 있게 노력하리라

공부는 거들떠보지 않고 있으니
어떻게 하려고 이러는지
앞으로 공부 할 가망이 없을까?

1974년 3월 26일 화요일

불안

장래를 결정해야 하는 요즘
이걸 해야 좋을지, 저걸 해야 좋을지, 갈팡질팡
결정을 내릴 수 없어 망설이고만 있으니…
모든 게 손에 잡히지 않고
마음의 안정을 찾을 수 없다
"망설임보다는 차라리 실패를 택하라"고
하는 말도 있지만
"첫 번째 단춧구멍을 잘못 끼면
그다음 모두 틀어질 수밖에 없다"는 말도 있다.

"독서하지 않는 사람은 외부에서 쾌락을 구하려 한다"
맞는 말이지만 마음이 들떠 있으면
이것도 통하지 않는다.

똑바로 걸어야 넘어지지 않고
목적지에 갈 수 있을 텐데

1974년 3월 27일 수요일

인간다운 생활

김형석 교수 에세이 중의 글이다.

“저마다 한국 사회의 한구석을 비추는 등불이 되고
한국 역사의 한 모퉁이를 정화하는
땅의 소금이 돼야 한다.

국민 각자의 인생관과 가치관과 생활신조와 정신 자세가
근본적으로 달라져야 한다.
우리의 의식 구조와 행동 강령의 커다란 변혁이 요구된다.
낡은 사람이 새 사람으로 바뀌는 인격 혁명이 없이는
새 사회의 건설은 불가능하다.

나부터 내 혼을 개조하고 내 마음을 정화하는
자아 혁신의 작업부터 해야 한다.
이것이 모든 일에 앞서야 한다.
썩은 나무로 튼튼한 집을 지을 수 없고
약한 벽돌로 견고한 빌딩을 건설할 수 없다.
사회의 근대화는 인간의 근대화가 없이는 불가능했다.

인간의 의식 구조와 사고방식과
가치관과 신념 체계가
근본적으로 달라지는 것이다.

저마다 새사람이 되고, 새 정신이 되는 것,
인생을 성실하게 사는 지혜, 합리적인 사고방식이다.
요행, 운수, 우연, 팔자소관 등은 비합리적 사고방식이다.

생산적 인간, 부지런한 인간, 성실한 인간,
생각과 말과 행동이 정직한 인간,
어떤 것이 인간다운 생활일까?"

매일 일하다 지쳐 쓰러져 자는 게
인간다운 생활은 아닐진대
어떤 것이 인간다운 생활일까?

육체는 물질과 더불어 끝나지만
정신은 항상 영원을 사모하여
값있는 것을 찾아 노력하게 되어있다.

1974년 3월 27일

사념(思念)의 행렬들

밤이 깊어 조용한 사위(四圍)
밤하늘 고요를 깨치고
점점 멀리 사라져 가는

애처롭고 외롭게 들리는
알 수 없는 가냘픈 소리

하루 살아온
긴 사념(思念)의 행렬들

잠자리에 누워도
눈이 감기지 않는다

1974년 3월 29일 금요일

어떻게 살 것인가?

변한 것이라곤 육체적 성장뿐
생각하는 건 꼭 그대로다
아니 더 감퇴되었다

깨끗하게 살려 해도
마음대로 되지 않고
타락의 구렁텅이에 빠져든다
생활에 혁명이 일어나야 한다

독서의 결핍일까?
날마다 하루 세 끼 밥은 꼭 먹는데
책은 한 페이지도 읽지 않은 때문일까?

책을 읽으려 하면
살아갈 길의 암담함이
조여 온다

1974년 4월 1일 월요일

운명

점점 더해가는 것은
불안과 불만의 연속

가슴 속은 온통
불만 덩어리
항상 싸늘하게 굳어져
어둡고 쓸쓸함이 감도는 인상

정(精)이라는 걸
받아보지 못했고
줘보지도 못했다
이게 운명이라는 걸까?

1974년 4월 1일 월요일

인생이 갈 곳

24시간 후에 죽음이 온다면
무엇을 하고 돌아가야 할까?
인생이 갈 곳이 그곳인가?

이 땅에서 영원한 삶은 아니리라
모든 지식과 재산도 허상일까?

인생이 세상에서 할 일은
후회 없는 삶

우연의 인생이라면
향락의 인생이지만

조물주에 의한
창조된 인생이라면
엄숙한 인생이 아닐 수 없다

1974년 4월 2일 화요일

꽃과 벌

꽃으로 찾아드는 벌들
꽃이 좋아
달라붙는 것인가?

꿀이 좋아
달라붙는 것인가?

달면 먹고
쓰면 뱉는 것인가?

1974년 4월 15일 월요일

연구하는 생활

잡념을 없애는 방법은
잡생각을 하지 않으려는 노력

한시도 한가한 틈을 주지 않도록
부지런하게 움직이는 것이다

라디오에서 유실수
과일나무를 연구하는
박사의 경험을 들었다.
사회에 보람을 심는 사람이다

뭔가 배우고 연구하는 사람
사회에 뭔가 남길 수 있는 사람으로
영원한 빛을 남기기 위해
부지런히 배우고
연구하는 생활을 하고 싶다

1974년 4월 21일 일요일

모방과 연구

자기의 머리로
개성 있게 연구하는
생활을 하고 싶다

모방은 창조의 근원이라 하지만
모방으로 그치지 않아야 한다

1974년 4월 25일 목요일

바른 삶

바른 삶을 위해
인생관
세계관
자연관
우주관이
바로 서야 한다

선인들의
인생관, 세계관, 자연관, 우주관들을 연구하면
생각을 바로 세울 수 있지 않을까?

1974년 4월 26일 금요일

피조물 인간

일요일을 시새움 하듯
종일 비가 내리더니
밤엔 별이 반짝인다

우주 저 광활한 곳
지구라는 땅덩어리 위에
붙어사는 인간들

악한 도적, 강도, 살인자 등 악한 사람들
생을 참되게 살기 위한 사상가, 종교인, 예술인
죽어가는 생명을 살려주는 선한 사람들

외롭게 던져진 모든 인간들
과연 우연히 만들어진 것인가?
조물주의 피조물인가?

1974년 4월 28일 일요일

무등산

5월 초하루
휴일이라 함께 일하는 친구들 4명과 무등산으로 향했다.
우선 식당에 가서 짜장면으로 점심을 때운 후
학동 가는 버스타고 무등산 길목에 내려 계속 걸었다.
처음엔 즐거워 팔딱팔딱 뛰기도 하고 장난도 치곤했지만
산등성이를 오를 땐 모두 기진맥진하고 있다.

나무 우거진 산속에 피어있는 이름 모를 하얀 꽃들
아직도 낙엽이 있어 바삭바삭 밟으며 걸었다.
참 진달래꽃은 벌써 시들었고
개 진달래 분홍색 꽃이 여기저기 조금씩 피어 있다.
보라색 할미꽃도 보인다.

모두 더운지 윗옷을 벗어들기 시작하고
기진맥진하여 가다 쉬고 가다 쉬면서
큰 바위에 구멍이 뚫린 곳까지 올라갔다.
전부가 바위산이다.
바위를 깎아 세운 듯 가파른 절벽 위

바위에 엎드려 아래를 내려다보니 아찔하다.
몇몇은 그곳에서 팔딱팔딱 뛰기도 하고
앉아서 쉬기도 하고 누워 있기도 하고
이 바위에서 저 바위로 건너기도 한다.

바위에 걸터앉아 나뭇잎을 스치며 불어오는
바람 소리에 귀를 기울이니
작은 두려움이 불어온다.
정말 기암괴석이다.
너무 선선하다 보니 곧장 싸늘해져
옷을 다시 주어입기 시작한다,

이곳까지 사람들이 별로 오진 않는다.
세 팀 정도밖에 보이지 않으니
허전한 느낌이다.

구멍 뚫린 바위 속을 들어가
바위에 이름도 새기고 앉아 쉬기도 한다.
우리가 있었던 구멍 뚫린 바위를 멀리서 바라보니
마치 해골처럼 보인다.

이곳을 나와 높은 바위 위에 앉아 바라보니
멀리 보이는 한없는 산의 연속
아스라이 울긋불긋 보이는 광주 시내 집들
사람들은 보일 리 없다.

지구가 처음엔 산과 바다로만 되어 있지 않았을까?
인간들을 왜 이런 곳에서 살게 했을까?
조물주는 무슨 목적으로 인간을 지구상에 살게
심어 놓았을까?
인간은 어떻게 살아야 조물주의 뜻에 어긋나지 않고
살 수 있을까?
이런 끝없는 질문을 던지다 보니
바람 소리에 섞인 새들의 울음소리가 간혹 들린다.

내려올 땐 여기저기 모여 놀고 있는 무리가 눈에 띈다.
춤추고 장구치고 어떤 곳은 큰 술통을 장구 삼아 놀고 있다.
터벅터벅 내려오는 친구들
모두 어깨가 축 늘어진 모양이
꼴불견이다.

1974년 5월 1일 수요일

정신과 육체

고독과 외로움
이제 조금 알 것 같다

정신과 육체 중
어떤 것을 택할 것인가?
서슴없이 정신을 택하리라

확고한 정신적, 육체적 토대 위에
인생관, 세계관, 우주관에 대한
지식을 쌓아야 한다

1974년 5월 2일 목요일

진정한 자유인

인간은 괴로움을
누구나 가지고 있다

돈 많은 부자도
정신적 부자인 지식인이라도
그들 나름 괴로움이 있으리라

왜 이렇게 속박 속에
살아야 하는지?
돈의 노예가 될 것인가?
진정한 자유인이 되고 싶다

스스로 위안을 해본다
장래는 어떻게 살게 되겠지
순리대로 살아야지
역리대로 살려면 괴로운 것이다

74년 5월 15일 수요일

시간의 유산

김형석 교수 에세이 '시간의 유산' 중의 글이다.

"여기 한 사람이 화살에 맞아 쓰러졌다고 하자.
그런데 이 사람이 화살을 빨리 빼고
치료할 생각은 하지 않고
누가 쏘았는가?
어떤 활이며 어떤 화살인가?
화살촉은 어떤 것인가? 하는 것만 묻는다면
그는 모든 것을 알기 전에 생명을 잃게 될 것이다.

여래(如來)에 의하여 의문이 풀리기 전에
그 생명은 잃게 될 것이다.
또 먼저 말한 문제들이 긍정이니
부정의 어느 편으로 결정되더라도
삶이 있고, 늙음이 있고, 죽음이 있고,
고뇌가 있다는 사실에는 아무런 변화도 없다.
나는 이러한 현실의 극복을 가르치는 사람이다."

1974년 5월 16일 목요일

노동과 인생

우린 의지대로
태어난 것이 아니다

싫어도 해야만 하는 것
일과 노동
이것이 곧 인생이다

1974년 5월 17일 금요일

인생고(人生苦)

공장에서 일하는 삼수라는 녀석
내 윗옷과 700원

어젯밤 일숫돈 갚으려고 놓아둔
7,500원을 가지고 도망갔다

서로 속고 속이며 사는 세상
앞으로 악한 세상 풍파를
어찌 헤쳐 나갈지
앞일이 암담하다

1974년 5월 25일 토요일

일생을 참되게

인간이 잠자는 것
아름답고 행복하고 편하다

잠은 편안한 마음으로 자면서
죽음은 괴로움으로 맞이하는 걸까?

온갖 괴로움을 한 몸에 진 듯
몸부림치면서 죽어가는 인간들

일생을 줄여 보면 하루
하루를 참되게 살면
일생을 참되게 사는 길이 아닐까?

선을 베풀며
선한 행동과
선한 생각으로
삶을 이어가자

1974년 5월 26일 일요일

가을과 산양

"여우 한 마리가
시렁 위에 포도송이를
따 먹으려다 안 되니까
그 좋은 포도를 보고
저 포도는 떫다고 비난하고 욕질한다."

이효석의 '가을과 산양' 내용이
어찌 내 실정과 비슷한지 모르겠다.

타협이 안 되는 일이면
그것을 비난하고 욕질하고
단점만을 찾아내려 애를 쓴다.
이게 사람의 마음인가?

1974년 5월 31일 금요일

외톨이

사람들과 잘 어울리지 못하는 게
큰 흠이다
어울릴 수 있을 만한 취미를 못 가졌다

화투 놀이도 못 하지
술도 못 즐기지
담배도 못 하지

무엇으로 어울릴 것이 없다
지금까지 항상 외톨이로 살아왔다

1974년 6월 27일 목요일

인격의 완성

'존 신들러'의 말이다.

"완성된 인간이란 무엇을 말하는가?
인간의 완성이 이루어질수록
감정의 동요는 적어진다.

또 인간의 완성이란
그 스스로의 안심을 의미하는 이 외에
아무것도 아닌 것이다."

한마디로
인격의 완성이란

자신을 다스릴 수 있는 능력이
아닐까?

1974년 7월 4일 목요일

자연

영혼 불멸과
내세가 있음을 믿는다

나뭇잎 하나도
봄에 싹이 나서
여름에 나무 그늘을 만들어
사람들에게 시원함을 주고

하늘을 나는 새들도
아름다운 자태와 아름다운 소리로
우리를 기쁘게 하고 있다
이게 자연이다

인간도 온갖 지혜를 다 써서
자기의 만족과 희열을 느끼며 산다

1974년 7월 25일 목요일

입대걱정

무더위의 연속
위층에서 자개 일을 하는 기술자들
윗옷을 벗어 던지고 상체는 알몸으로
모두 땀을 흘리며 열심히 일하고 있다

머지않아 군대에 가게 될 텐데
학별도 제대로 세우지도 못하고
눈 시력 등 잔병 때문에
건강도 걱정이다

고등학교는 졸업하고
군대에 가야 할 텐데
지금 이길 수 없다

1974년 8월 13일 화요일

낙화

〈유정지 시인〉

붉은 얼굴에 피었던 미소는
풀잎의 이슬처럼 사라졌고
백년을 기약했던 약속은
바람 곁의 버들 솜같이 날아갔으니
해마다 피는 꽃은 같으나 인생은 달라진다

얼굴 붉은 젊은이여
그대는 머리 흰 나를 가련히 여길 것이다
오늘날 늙은 내 머리 가련하나
나도 옛날은 얼굴 붉은 미소년이었다
서울 성 밖의 배꽃 복숭아꽃이 펄펄 날아
뉘 집에 떨어지는가?

웃고 가던 아가씨
지는 꽃 보고 긴 한숨짓는다
낙화 보고 한숨짓는 저 아가씨
명년 꽃필 때 있을는지

1974년 9월 17일 화요일

하품

자개장롱 급한 주문으로
새벽 2시까지 야근

지친 몸을 간신히
이기고 있다

피곤하여
졸음이 가득
입속에 와 있다.

1974년 9월 19일 목요일

아름다운 사람

입을 열면
진리가 쏟아지고

손을 들면
사랑을 베풀고

발을 움직이면
선을 행하는 사람

이런 사람이
세상의 아름다운 꽃
이런 꽃이 되고 싶다

1974년 10월 4일 금요일

엄숙한 인생

사람 되려면 아직 멀었나 보다
사람을 미워하고 자신을 높이려 한다
악한 마음, 이기적인 마음
무시당한다 하여 불쾌해하고 미워한다

자신이 행할 수 없고 행하지 않는 것은
가르칠 수 없다
내가 말할 수 있는 한계가 훈계의 범위다

오늘 하루도 살긴 살았는데
무엇을 어떻게 살았는지

인생이란 가볍게 사는 게 아닐 텐데
너무 가볍게 살아왔다

인생이란 엄숙한 것이라
신중하고 엄숙하게 살아야 할 텐데

1974년 10월 5일 토요일

빈껍데기 인생

확고한 생활관
인생관의 결핍

겉만 핥은 인생
빈껍데기 인생

도스토옙스키는
“나 자신을 희생하는 가운데서 만이
최대 행복을 얻을 수 있다.”라고 한다

1974년 10월 7일 월요일

'죄'란?

어떤 것을 죄라고 하는가?
해서는 안 될 일을 하는 것을 말할까?

인간은 하나님이 주신 능력인
자유의지(自由意志)를 행사하여
하나님께 불순종하는 길을 택했다
바로 이것이 죄였다

성서에 의하면 '죄'란
1. 인간을 창조하신 하나님의 목적을 떠나 있는 것
2. 하나님을 배반하고 자의적으로 그릇된 길을 택한 것
3. 하나님으로부터 떠나 있는 상태

"모든 사람이 죄를 범하였음에
하나님의 영광에 이르지 못하더니"
(로마서 3장 23절)

1974년 10월 7일 월요일

쾌락 추구

괴롭고 슬픈 일에 처해야만
사람의 마음이 깊어지는가?

몸이 힘드니
어디서 재미를 찾을까?

고민만 하다
하루가 지난다

육적 쾌락의 추구에는
악덕이 존재하고
정신적 쾌락의 추구에는
미덕이 존재한다는 말을
다시 상기시켜 본다

1974년 10월 15일 화요일

결혼이란?

점심때 누군가 도시락 싸 온 신문에서
'스트레스'라는 제목으로 글을 읽고 나니
결혼할 마음이 사라진다

가장(家長)으로서의 무거운 책임감
또 경제적 여유가 없으면
자기의 무능력에 대해 자기를 학대하고
자식과 아내에 대한 기대감이 무너진 스트레스
그것은 많은 병을 유발시키는
원인이 된다는 얘기다

직장에서 돌아오다
멀리 집만 보여도 머리가 쑤시고
아내를 보면 머리가 어지럽고
자식을 보면 짜증이 나고
신경질이 나는 이런 것을
술과 여자에게서 해소하려고
일이 끝나면 술집을 찾는다

귀가할 때는
만취된 상태로 집에 돌아와
아내와 자식들에게 신경질 내며
하루를 보내는 것이
결혼한 부부의 실태라고 한다

이런 것들을 보고, 듣고, 읽을 때
결혼은 안 하는 게 좋지 않겠는가?
하는 생각이 든다

'결혼해 보라 그러면 후회할 것이다'
'결혼 하지 마라.
그러면 당신은 더 후회할 것이다'라는 말은
결혼을 주장하는 것이니

아직 세상을 살아가는 과정에 있으니
결단을 내릴 수 없다

1974년 10월 17일 목요일

고독과 신(神)

무조건 신(神)이 없다고 부인하는 것은
옳지 못한 일이다
신(神)에 대해 안다는 것은 아니다
무조건 신(神)을 부정하고 싶지 않을 뿐이다

"고독이 인간을 떠나면
인간은 신(神)을 망각하고
이웃을 망각하게 된다"

사람이 병들면
자연스레 고독하게 된다

몸이 건강하면
고독을 잊으려 노력한다

몸이 아프면 고독을 잊으려는 힘이
상실되나 보다

1974년 10월 23일 수요일

인간의 마음

아침 일찍 전화가 걸려 왔다
형님 아는 분이 연탄가스 중독으로
돌아가셨다고 한다
어젯밤까지만 해도
친구들에게 전화도 하고
전화도 받고 했다던데
오늘 아침 갑자기 돌아가신 것이다

영원할 것 같은 인간의 마음
얼마나 허망한가?
이런 인생일 바에야
돈이 무슨 필요 있으며
명예나 지위도 다 무엇이랴

언제 죽어도 여한이 없도록
준비되어 있어야 한다

1974년 11월 4일 월요일

시한부 인생

하루살이처럼
그날그날 아무 생각 없이
더 이상 발전할 생각을 않고 있다
무언가 잘못되어 있다

"뜻은 만 년을 살 것 같이 세우고
실행은 하루를 살 것처럼 하라"고 했다

시한부 인생이라면
어떻게 살 것인가?

내일모레까지만 살라 한다면
아니 내일까지만 살라 한다면
또 이 순간까지만 산다면

1974년 11월 7일 목요일

인격적 사귐

대화는 즐거운 것이고
인격적인 사귐은
무한한 기쁨을 가져다준다

죽음을 기다리는 사람
죽음에 쫓기는 사람

다 같이 당하는 죽음이지만
사람의 생각 능력에 따라
결과는 달라진다

1974년 11월 8일 금요일

스무 살 청년

종일 자개농 지짐질
아직 늙지 않았는데
허리가 너무 아프다

왜 이 순간 밖에
살지 못한다고 생각하는지?

아직도 40년이란 기나긴 세월이
남아 있지 않은가?
청년기, 장년기, 노년기가 남아있다

혈기 왕성한 약관 스무 살
이 청년기를 후회 없이
살고 싶은 따름이다

1974년 11월 14일 목요일

사고(思考)하는 힘

죽음은 피할 수 없다
병은 치료할 수 있지만
원인은 제거할 수 없다

땅 위를 기는 개미의 삶이나
하늘을 자유롭게 나는 새의 삶이나
사나운 표범의 삶이나
만물의 영장인 인간의 삶이나
다른 것이 무언가?

인간은 생각하는 힘이 있어
위대하다고 한다

사고(思考)하는 힘은
삶을 깊고
풍요롭게 할 수 있다

1974년 12월 2일 월요일

인간의 사명

괴로운 현실
미래를 생각하면 두려운 마음
밝은 내일은 보이지 않고 암울할 뿐

지금까지도 살아왔으니
앞으로도 살게 되겠지

보람된 삶은
인간을 만드신 조물주의 뜻을 행하는 길
인간의 맡은 바 사명을 이행하는 길

과거도 살아왔고
현재도 살고 있고
미래도 살아갈 것이다

사명을 다하고
죽음을 기다리자

1974년 12월 3일 화요일

돈

돈 많아 무엇 해
나 죽으면 필요한 건
수의 한 벌
관하나
사방 2m 땅 등

그렇게 많은 돈은 필요가 없을 텐데
돈이 인생의 전부는 아닐 텐데
인격과 양심을 팔아 돈을 모으려 한다

열심히 일하고
착하게 살면서
정당한 보수로
돈을 벌면 몰라도

돈 때문에 인생을
낭비하고 싶지 않다

1974년 12월 7일 토요일

삶과 죽음

공장에서 자개 지짐질하는데
몸이 말을 안 듣고 힘을 쓸 수 없다
몸이 너무 괴로워
죽음을 생각했다

별로 살고 싶은 생각은 없다
그냥 살고 있는 것이다
사는 것은 다 똑같지 않은가?

오래 산다고 해서
달라질 것이 무엇일까?
이제까지 살아왔고 또 살고 있다

오늘도 이렇게 살았거니와
내일도 이렇게 살아갈 것이니
이제 남은 건 죽음뿐

1974년 12월 11일 수요일

존재에 관하여

‘김형석 교수 에세이’를 읽으며
‘내가 있다는 일(나의 존재)’에 대해 생각해 보았다.

“내가 없다고 해서
태양의 변화가 일어나는 것도 아니고
바닷물이 줄어드는 것도 아니다.
내가 있으니, 우주도 세계도 역사도
사회적 현실도 있는 것이다.

유(有)와 무(無)의 차이는
객관적인 입장에서 볼 것이 아니라
주관적인 위치에서 보아야 하며
그때는 이처럼 엄청난 차이를 가져오게 된다.”

이 말에는 모순이 있는 것 같다.
무식하고 무지한 나의 좁은 소견이지만
왜 꼭 주관적인 입장에서만 봐야 하는가?

주관적인 입장과 객관적인 입장에서
모두 다 봐야 하지 않을까?

내가 죽어 없어져도,
내가 살아있어도
세상은 여전히 여전할 것이며
변함이 없을 것이다.

만물이 누굴 위해 있는 것일까?
누굴 위해 있는 것도 아닌
자기 스스로 있는 게 아닐까?

1974년 12월 17일 화요일

죽음이 온다면

이대로 죽는다 해도
더 살고 싶은 생각은 없다

그저 살아 있으니
먹고 마시고 일하고 있는 것이다

죽음이 온다면
기꺼이 미련 없이
목숨을 내어 줄 수 있다

1974년 12월 28일 토요일

마무리 글

십대 삶의 고뇌
성장통의 아픔
꿈 그리고 사색들

두해 네해 사라진 보호막
놓쳐버린 학업
암담한 미래
희망 없는 나전칠기
짓눌리고 억압된 삶

삶의 빛과 바른 길을 향한
번뇌와 몸부림

7부 능선에 올라오니
보이기 시작한다
걸어온 길
걸어갈 길
하나님의 섭리